LE Golf

HISTOIRE

Alick A. Watt

FLAMMARION

Titre de l'ouvrage original : *Golf Nostalgia*
Publié par Harlaxton Publishing, Lincolnshire
Direction artistique : Rachel Rush, Harlaxton Publishing
Photographe : Chris Allen, Forum Advertising
Illustrateur : Jane Pickering, Linden Artists
© 1993 Harlaxton Publishing Limited
© 1994 Flammarion pour l'édition française

Traduit de l'anglais par Sylvie Chaussée-Hostein

I.S.B.N. : 2-08-200580-1
N° d'édition : 1263
Dépôt légal : 1er trimestre 1997
Adaptation et mise en page PAO : Georges Brevière
Photogravure : G.A. Graphics
Imprimé par Imago à Singapour

Sommaire

5	Préface
7	Introduction
12	Les origines
16	Les premiers links et parcours
38	Les parcours dans le monde
48	L'origine des clubs
52	Les premiers bois
64	Le premier open
74	Histoire de la balle de golf
80	Les fers et leurs fabricants
86	Caddies, porte-clubs et sacs
90	Quatre années de conflit
92	Index
96	Remerciements

Préface

ALICK A. WATT est né en 1920 au club-house de Wortley, dans le Yorkshire. Son père était d'une famille de cinq frères, tous habiles fabricants de clubs et golfeurs professionnels, dont deux devinrent ensuite champions d'Écosse.

Il fut élevé à Dirleton et North Berwick avant d'entrer comme apprenti chez son oncle James Watt, qui était lui-même professionnel de golf et fabricant de clubs à North Berwick. James Watt ayant été initié par le grand Willie Park à Musselburg et North Berwick, c'est donc chez son oncle qu'Alick apprit à façonner des clubs et à enseigner ce jeu.

Il s'engagea dans la R.A.F. lorsqu'éclata la Seconde Guerre mondiale et servit principalement à Aden et en Afrique proche-orientale. À la fin des hostilités, le jeune homme retourna seconder son oncle à North Berwick avant d'être engagé comme assistant de Philip Wynne à Chingford, dans l'Essex. Il rejoignit ensuite son cousin à Stoneham, près de Southampton. Quelques années plus tard, il fut embauché comme professionnel au Romsey G.C. Hants, où il détint le record du parcours (62) pendant vingt et un ans.

C'est au sein même de sa famille qu'Alick Watt découvrit son intérêt pour les clubs de golf anciens et l'histoire du jeu, principalement auprès de James Watt, autorité reconnue qui s'était distingué dans ce domaine à la radio écossaise en 1931. C'est lui qui lança également la même année les premières leçons de golf radiophoniques.

Fervent collectionneur, Alick Watt se consacra parallèlement à des travaux de recherche sur tous les aspects du jeu d'antan. Il collabora ainsi pendant deux ans à *Golf Monthly*, avant de rédiger *Collecting Old Golfing Clubs*, pour le compte de l'American Golf Collectors Society.

Il est aujourd'hui collaborateur spécialisé à *L'Encyclopédie du Golf* ainsi que rédacteur au *Debrett's International Collection*. Il a également beaucoup écrit et donné de nombreuses conférences sur l'histoire du jeu.

CI-DESSUS : *Une balle en plume.*

L'Escaut : Golf sur glace (détail).

INTRODUCTION

Nous n'avons aujourd'hui aucune certitude quant à l'origine exacte du jeu. Nous en sommes donc réduits à échafauder différentes hypothèses pour tenter d'en éclaircir les mystères.

Toutefois, nous sommes certains que les Romains introduisirent un jeu de balle et de bâton appelé *paganica* à mesure qu'ils élargissaient leur empire en Europe de l'Ouest. Nous connaissons mal ce jeu si ce n'est qu'il était censé se jouer avec un bâton recourbé et une balle en bois ou en cuir rembourré. C'était en tout cas un jeu populaire dans les campagnes de l'Empire romain.

Quelques siècles plus tard, des jeux nécessitant une balle et un bâton se développèrent en France et aux Pays-Bas ; tel pourrait être le maillon entre la *paganica* et le golf. Il s'agissait entre autres du *pelle melle*, du hockey et du *kolven*, et tous avaient un dénominateur commun avec le golf : en effet, ils exigeaient qu'un objet sphérique fût frappé avec un bâton spécialement conçu pour l'envoyer en ligne droite vers un point donné.

Toutefois, le golf demeure singulièrement différent, notamment parce qu'il exige que les joueurs, armés d'un club, contrôlent entièrement la trajectoire de la balle jusqu'à un trou précis dans le sol.

En dépit de certaines controverses, de nombreux historiens pensent que les navigateurs écossais ont été parmi les premiers joueurs de golf. Il se peut que, ayant assisté, sinon participé, à des parties de *kolven* et de *pelle melle* lors de leurs séjours aux Pays-Bas, ils aient façonné de grossiers clubs et balles en bois. La localisation des sept plus anciens clubs sur les dunes longeant les ports de la côte est de l'Écosse, dans le Fife et les Lothians, vient étayer cette théorie.

Un ancien bouton de manteau ciselé à la main, représentant un jeu de bâton et de balle sur glace, aux Pays-Bas.

Jeu de bâton et de balle sur glace aux Pays-Bas, XVIIᵉ siècle.

À DROITE : *Jeux de bâton sur glace aux Pays-Bas.*

De plus, l'Écosse possède le premier témoignage écrit de l'existence du golf. En 1457, cependant, le roi Jacques II proclama l'interdiction de ce jeu, édit qui resta en vigueur pendant un demi-siècle.

Pourtant, le golf reprit son essor et se développa régulièrement au cours des XVIIᵉ et XVIIIᵉ siècles, tout en restant l'apanage des classes possédantes. Les membres de la famille royale, les nobles et les «Capitaines du commerce et de l'industrie» appréciaient cet exercice sain, prétexte à festoyer et habile moyen de négocier en affaires.

Cet essor se poursuivit avec la construction de nouveaux links et parcours, et avec l'introduction d'équipements moins onéreux ; vers 1800, le golf traversa la frontière pour s'implanter de plus en plus sérieusement en Angleterre. Il s'était également étendu jusqu'en Amérique et au Canada, puis plus tard en Inde, et aux environs de 1860, le golf était un jeu connu dans le monde entier.

Durant la seconde moitié du XIXᵉ siècle, il se commercialisa davantage et s'ouvrit à la compétition. D'autre part, les améliorations apportées aux clubs, aux balles et aux parcours ouvrirent la voie au professionnalisme, secteur nouveau et lucratif.

Au cours du XXᵉ siècle, bien des changements intervinrent dans l'équipement. À cette époque, tous les clubs avaient des manches en bois, mais les modèles munis d'une tête en

Hobbs Golf Collection

bois s'étaient transformés ; la variété des fers s'étant considérablement accrue, ces derniers devinrent complémentaires au point de former des séries, leurs différences résidant dans la longueur des manches et l'angle donné à la tête de chaque instrument.

La balle de golf, excepté le noyau, était désormais essentiellement formée de caoutchouc, ce qui lui donnait un rebond énergique et permettait de l'envoyer plus loin lorsqu'elle était correctement frappée avec la face du club. Ces instruments, à l'origine d'une demande croissante de la part d'une industrie en plein essor (les manches en bois firent place aux manches en acier), furent une aubaine pour l'économie, notamment dans la région que l'on appelait alors communément Grande-Bretagne septentrionale.

Il y aurait beaucoup à dire sur les périodes de transition de ces cinq siècles d'histoire du golf, notamment sur les grands matchs de la seconde moitié du XIXe siècle, lorsque certains enjeux de compétitions pouvaient s'échelonner entre 50 et 400 livres sterling, confirmant l'importance des sommes investies dans le golf. Le rôle joué par la calèche, puis l'automobile et le chemin de fer, fut déterminant, particulièrement lorsque les Chemins de fer de Londres et du Nord-Est annoncèrent aux golfeurs itinérants que les trains pourraient s'arrêter à proximité des links, pour autant que le chef de train en eût été averti à l'avance.

Curieusement, ces services étaient offerts tant sur les grandes lignes que sur les parcours de moindre importance. À l'évidence, le golf était entré dans les mœurs, laissant déjà présager de sa popularité qui s'affirmerait encore dans les décennies à venir.

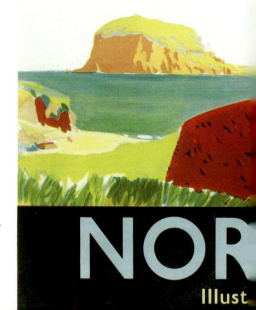

Affiche publicitaire des Chemins de fer de Londres et du Nord-Est pour North Berwick.

LES ORIGINES

ON a dit que le golf offrait un large champ d'études au philosophe et à l'observateur de la nature humaine. L'on ne peut affirmer qu'un tel principe ait pu s'appliquer à ceux qui s'adonnaient à ce loisir aux XIVe et XVe siècles (voire au XIIIe siècle), car en 1457, certains durent renoncer à pratiquer ce jeu, suite à l'édit promulgué par Jacques II d'Écosse, qui considérait que ses sujets consacraient trop peu de temps à la pratique du tir-à-l'arc, de l'escrime et autres arts défensifs.

Sans doute cette interdiction fut-elle largement contestée, et il nous faut saluer ceux qui, outrepassant l'édit du souverain, ont assuré la pérennité du golf.

En 1501, lorsque le traité de Glasgow scella l'union de l'Écosse et de l'Angleterre, nul document n'atteste que le Parlement ait rendu illicite aucun sport. En effet, les livres de comptes du Royaume de 1503 témoignent d'une somme consacrée à l'achat de clubs et de balles afin que le roi «joue au golf avec le comte de Bothwell».

Tout au long du XVIe siècle, le jeu se popularisa et nécessita un équipement plus élaboré. Aussi, les fabricants et les tourneurs sur bois durent-ils répondre à une demande de plus en plus importante. Ils diversifièrent alors leurs activités et commencèrent à façonner des clubs et à fabriquer des balles.

Il est également probable que le premier links ait été créé pendant cette période. À l'origine, le golf était un jeu, un simple loisir qui se résumait à envoyer la balle le plus loin possible, aucune règle précise n'ayant été instaurée.

Les golfeurs se rassemblaient sur des terrains en friche sablonneux, surveillés et réglementés par la paroisse locale. La population des environs prenait plaisir à s'y promener et certains y menaient paître des animaux.

Illustration d'un livre vers 1501.

De tels sites, à proximité des villages côtiers et des villes de l'est de l'Écosse, abritaient des pousses d'ajonc en quantité, du nerprun ou du genêt. Le sol, recouvert de longs et larges tapis de tourbe, permettait aux habitants d'y pratiquer leur jeu favori.

Ces zones côtières, continuellement érodées par la marée et le vent, constituaient des terrains de golf parfaits. L'érosion naturelle de ces espaces permit d'aménager sans grandes difficultés les aires de jeu. Ainsi, une fois les dernières broussailles arrachées, il fut aisé de délimiter les zones de fairways et de green, ces dernières ayant un trou en leur centre, creusé à l'aide d'un couteau et signalé seulement par la longue plume blanche d'un oiseau de mer. Plus tard, elle fut remplacée par un piquet de bois fiché dans le trou.

Jusqu'à présent, le jeu consistait à placer la balle sur un monticule de sable ou d'herbe, à effectuer un rapide mouvement de balancier, puis à frapper la balle ; le golfeur partait aussitôt en courant afin de suivre sa trajectoire et d'évaluer ainsi la qualité de son coup.

PAGE DE GAUCHE :
À l'origine, la longue plume blanche d'un oiseau de mer signalait l'emplacement du trou.

DOUBLE PAGE SUIVANTE :
Tracé du Old Course de Saint Andrews en 1924 (vu de la mer). Longueur du parcours : 6 007 mètres.

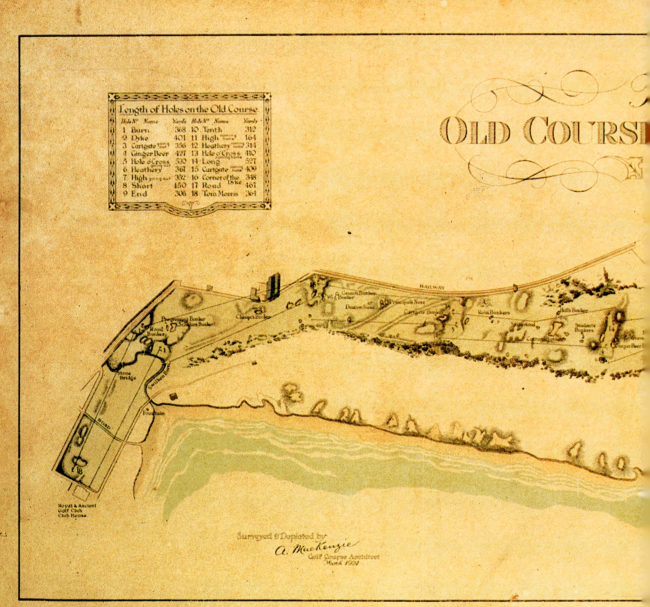

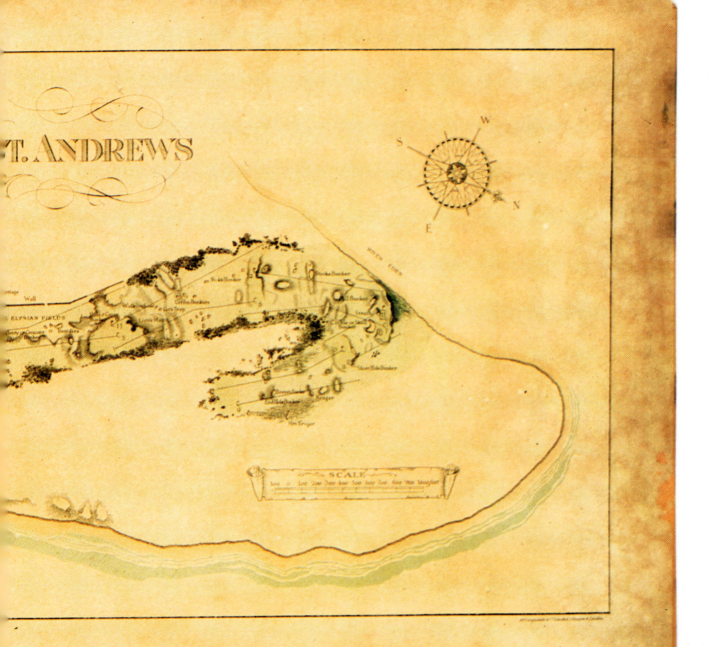

Les premiers links et parcours

LES premiers links furent vraisemblablement créés le long des estuaires du Forth et du Tay. Les aires de jeu, qui empiétaient largement sur les demeures des habitants, durent par conséquent être réduites quelques années plus tard. Pendant leur construction, on avait pris soin de s'assurer qu'aucun obstacle ne gênerait les bateaux amarrés sur la plage, les casiers de crabes et de homards, ainsi que les filets des pêcheurs. De plus, les ajoncs et les buissons, habituellement utilisés par les villageoises pour y étendre leur linge, et l'herbe tondue ras sur laquelle on faisait également sécher les vêtements, furent encore plus scrupuleusement préservés.

En conséquence, les golfeurs s'engagèrent solennellement à respecter l'environnement des sites qu'ils aménageaient.

Vers la fin du XVIe siècle, au nord du pays, les autorités ecclésiastiques s'insurgèrent contre le fait qu'on jouait au golf le dimanche, et le Conseil d'Edimbourg proclama «l'interdiction de tout jeu ou passe-temps le jour du sabbat ; nul ne devait jouer à la balle, entonner des chants profanes, boire dans les rues ou les tavernes, sous peine d'être poursuivi par les magistrats.»

Deux ou trois joueurs indisciplinés reçurent des avertissements isolés : John Henrie et Pat Bogie furent sans doute parmi les premiers à être incarcérés pour avoir enfreint l'interdit.

En 1604, à Perth, Robert Robertson fut puni pour le même motif et contraint de s'asseoir sur le siège du repentir devant une assistance au grand complet !

À cette même période, il semble que le roi Jacques VI ait engagé à son service William Mayne, fabricant d'arcs qui se lançait dans le commerce des clubs. Plus tard, James Melville fut engagé comme fabricant de balles pour une période de quarante ans, durée pendant laquelle le roi fixerait le prix de chaque balle.

Nous savons peu de chose sur la forme et la structure exactes des clubs de l'époque, mais certaines hypothèses tendent à nier l'origine écossaise du golf.

En revanche, on connaît mieux les techniques de moulage et de fabrication des balles de golf. On sait qu'aux Pays-Bas les joueurs utilisaient un modèle qui, selon toute vraisemblance, était à l'origine en bois, matière idéale pour les jeux de bâton et de balle pratiqués sur les rivières, lacs et canaux gelés.

Aux XVe et XVIe siècles, une balle enveloppée de cuir, rembourrée de laine, de poil ou le plus souvent de plumes, fut créée pour le *kolven* et autres activités similaires, et cet objet sphérique prit le chemin de l'Écosse.

Cette balle en cuir ayant reçu un accueil favorable de la part des golfeurs écossais, il

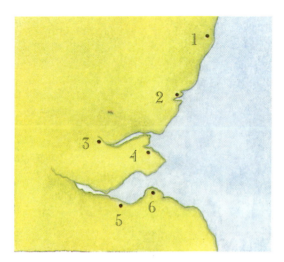

1. Aberdeen
2. Montrose
3. Perth
4. Saint Andrews
5. Leith
6. North Berwick

DOUBLE PAGE SUIVANTE : *Estampe intitulée «Le green du 1 à Saint Andrews»*, 1798.

était donc logique qu'une nouvelle industrie se développât dans le pays. Des archives attestent que le roi engagea un fabricant de clubs et un fabricant de balles à seule fin d'en réduire le coût, les balles importées des Pays-Bas, lourdement taxées, étant vraiment trop onéreuses. La balle en bois fut détrônée par un petit sac de cuir rembourré de plumes, plus sensible et plus élastique, qui domina le marché pendant près de deux siècles et demi.

Le nombre de links autour des estuaires du Forth et du Tay augmenta rapidement au cours des XVIe et XVIIe siècles. À Perth, notamment, les ventes de clubs et de balles témoignent de ce développement. Les amateurs de golf pouvaient s'enorgueillir de joueurs parmi les personnalités les plus célèbres. Ainsi Mary Stuart, reine d'Écosse — première femme à pratiquer ce sport — joua au golf à Seton immédiatement après l'assassinat prémédité de son mari, le comte de Darnley, en 1567. Il est prouvé que Lord Montrose se rendit à Saint Andrews et à Leith vers 1625, et un témoignage atteste que Charles Ier fut informé de la rébellion irlandaise, alors qu'il jouait sur le links de Leith.

En dépit de l'hypothèse selon laquelle le golf aurait été pratiqué à la fois à Saint Andrews et à Leith au XVe siècle, Leith est supposé être le site du premier véritable links. (C'est d'ailleurs sur ce terrain que John Henrie et Pat Bogie s'étaient déshonorés en 1608 en pratiquant le golf le jour du Seigneur.)

Vraisemblablement, les links de Bruntsfield (six trous), de Musselburgh (sept trous), de Saint Andrews (vingt-deux trous) et de Montrose (vingt-cinq trous) furent créés très peu de temps après. Ceux de North Berwick (six trous), de Gullane (sept trous), d'Archerfield (treize trous) et, par-delà la fron-

tière, en Angleterre, de Blackheath et de Wimbledon (sept trous), datent de la même époque mais n'ont pas tous la même importance ni la même structure. Ainsi, la théorie selon laquelle certains parcours étaient composés de très longs trous, ou, comme à Saint Andrews et à Montrose, de trous plus courts, se voit ici confortée.

Malgré ces différences, les links avaient cependant des points communs.

Aux abords des villes et des villages, les terrains étaient bien entretenus, et sur les côtes souvent vallonnées et balayées par le vent, le sol fut naturellement érodé, au point de donner naissance aux premiers bunkers. Les greens, où désormais un long bâton ou un drapeau indiquait l'emplacement du trou, servaient non seulement d'aires de putting, mais aussi de zones de départ du trou suivant. Un règlement tacite stipula que le tee devait être placé à deux longueurs de club du trou, ce qui, n'en doutons pas, contribua à ralentir le jeu. De plus, les joueurs étaient de fait beaucoup trop nombreux sur le terrain.

Tout au long du XVIIe siècle et au cours du XVIIIe, le jeu progressa régulièrement et se popularisa, les meilleurs joueurs côtoyant bien souvent les simples amateurs, chacun s'efforçant d'améliorer ou de perfectionner sa technique. Cet éclectisme social n'empêcha nullement l'émergence de sociétés et de clubs de golf, qui ont pu souscrire au tracé de leurs propres links ou parcours.

À GAUCHE : *Track iron et balle en plume. La tête de club est à peine plus grosse que la balle.*

PAGE DE DROITE : *Défilé du Club d'argent à Edimbourg. L'Honorable Compagnie des golfeurs d'Edimbourg, 1787.*

Les premiers clubs et sociétés

En 1744, plusieurs gentilshommes se réunirent sur le links de Leith afin de demander au Conseil d'Edimbourg l'instauration d'un Club d'argent «à disputer chaque année sur le links, selon l'époque et les conditions que les magistrats et le Conseil jugeront convenables».

Le Conseil accorda la requête tout en établissant un règlement très strict. En effet, «pour le privilège de jouer pour ledit Club, chaque joueur devra payer cinq shillings sterling à la signature» (sans doute un droit d'inscription). «Par ailleurs, chaque vainqueur devra, à réception du Club, donner au Magistrat en exercice la somme de cinquante livres sterling pour la restitution du Club, un mois avant qu'il ne soit remis en jeu» (une caution importante à l'époque).

Un autre appendice stipulait que le Club resterait toujours propriété du Conseil d'Edimbourg. Le vainqueur était nommé capitaine du club pour un an et avait le privilège de régler tous les différends.

Parmi les conditions d'attribution du Club d'argent de la ville d'Edimbourg, le Conseil exigeait que chaque vainqueur donnât une pièce d'or ou d'argent pour l'année. Sans doute une autre ordonnance stipulait-elle que toutes les sommes payées à la signature de l'inscription «étaient à la disposition du gagnant». Peut-être était-ce là le premier sweepstake dans le golf ?

La première compétition pour le Club d'argent fut organisée en 1744, avec pour vainqueur John Rattray. À la suite de ce tournoi, l'Honorable Compagnie des golfeurs fut officiellement instituée.

Ses membres avaient coutume de se prénommer «les gentilshommes golfeurs», et au début du XIXe siècle, le titre d'«Honorable Compagnie d'Edimbourg des golfeurs d'Edimbourg» fut finalement adopté. Aujourd'hui, elle est plus simplement connue sous le nom d'«Honorable Compagnie des golfeurs d'Edimbourg».

En 1768, un club-house fut construit sur le links de Leith au profit des membres de l'Honorable Compagnie dont les effectifs, à cette époque, ne cessaient d'augmenter avec l'afflux des professions libérales et des hommes d'affaires d'Edimbourg.

Les links de Bruntsfield et de Musselburgh attiraient un nombre croissant de joueurs et, vers 1800, plusieurs terrains furent aménagés pour la pratique du golf.

Entre 1744 et la fin du siècle, diverses sociétés et clubs virent le jour sans avoir été enregistrés. Les joueurs de Saint Andrews se réunirent et décidèrent de se conformer à un code de réglementation du jeu de golf, semblable à celui de l'Honorable Compagnie, formant ainsi

le Saint Andrews Golf Club en 1754. Au cours de cette année, un Club d'argent fut disputé, et l'Honorable Compagnie des golfeurs d'Edimbourg participa, à cette occasion, à une rencontre amicale. Le jeu attira de nombreux spectateurs et, à la satisfaction du club d'accueil, un commerçant remporta le prix.

En 1834, Guillaume IV parraina le club de golf de Saint Andrews, qui se vit accorder le titre de Royal & Ancient Golf Club. Trois ans plus tard, le roi offrit au club une médaille d'or à disputer chaque année.

En 1840, on construisit un club-house Royal & Ancient, mais différents travaux d'aménagement entrepris par la suite lui conférèrent l'aspect qu'il revêt aujourd'hui.

Les terrains et les dunes de Saint Andrews offraient de vastes espaces qui permirent aux habitants de tracer un parcours de douze trous, comportant des doubles greens (deux trous creusés dans chacun d'entre eux). Onze trous partaient du club-house en direction du nord-ouest, jusqu'à un point proche du rivage ; de là, les golfeurs retournaient et jouaient dix greens en sens inverse, finissant par un green simple, achevant ainsi une partie de vingt-deux trous.

Le nombre de joueurs ne cessant de croître – au XIXe siècle le golf était gratuit –, le parcours fut réduit à dix-huit trous, nombre qui fut désormais adopté pour les autres links à venir.

CI-DESSUS : *Photographie d'un green du XVIIIe siècle à North Berwick, lors du match opposant H. Vardon à W. Park, en 1899. Au premier plan, la clôture en treillis entoure le magasin de W. Park, autrefois un lieu d'habitation dont les pièces ont été transformées.*

PAGE DE GAUCHE

À GAUCHE : *Anciens links de Musselburgh dans les années 1890, auparavant le siège de l'Honorable Compagnie des golfeurs d'Edimbourg.*
À DROITE : *Le célèbre pont franchissant le ruisseau Swilcan, sur le Old Course de Saint Andrews.*

Golfeurs écossais vers 1855.

Partie de golf à Blackheath, illustration extraite de l'«Illustrated London News», 1870.

Fort d'un titre et de liens royaux, le Royal & Ancient Club fut bientôt considéré comme le premier club d'Écosse et devint une référence. En 1897, il édicta des règles officialisées en 1919. Un comité spécial, choisi parmi les membres du club, fut désigné pour remplir cette tâche.

Pour répondre à la demande, un nouveau parcours fut tracé en 1894, celui du Jubilée devant être construit seulement cinq ans plus tard, en 1899. En 1913, le parcours d'Eden, légèrement plus court et plus facile que les autres, compléta un quatuor qui satisfaisait tous les golfeurs.

Jusqu'en 1800, dix clubs ou sociétés de golf avaient été créés, dont neuf en Écosse et un, Blackheath, en Angleterre. Deux d'entre eux, la Burgess Golf Society (1735) et le Blackheath (1608) affirmaient cependant être plus anciens que l'Honorable Compagnie.

Pourtant, des documents témoignent que ce dernier avait un président et un sécrétaire, ainsi que des règles de jeu, alors qu'aucune preuve écrite n'atteste l'existence des autres clubs.

Il est tout à fait probable que de très anciens links de golf, tels que Saint Andrews, Aberdeen, Bruntsfield, Crail, Dornoch et Leven aient été créés dès la fin du XVIIe siècle. Mais nul document ne prouve qu'ils étaient constitués en club ou en société.

À l'origine du jeu, en particulier lors de l'établissement des premiers links, la longueur et la difficulté des parcours variaient d'un golf à l'autre. La plupart d'entre eux offrait des obstacles artificiels, alors que d'autres avaient des pièges naturels tels que des ruisseaux, buissons et dunes de sables mouvants. Par la suite, étant donné le nombre grandissant des parcours, il fallut instaurer des règles très précises, règles que les organisateurs eurent d'ailleurs beaucoup de mal à établir.

Mlle Bertha Thompson, championne chez les dames en 1905.

Le golf féminin à ses débuts.

Les premières règles de golf

LES gentilshommes golfeurs de Leith furent les premiers à imposer aux joueurs une série de règles préalablement définies. Quelque dix ans plus tard, la Société des golfeurs de Saint Andrews édicta treize règles, sensiblement identiques, qui furent régulièrement imprimées. Celles mentionnées ci-dessous figurent parmi les plus intéressantes :

« *Règle 2*
Vous devez surélever la balle au sol.
Règle 4
Vous ne devez déplacer ni pierres, ni aucun objet dans le but de jouer votre balle sur le green, et cela seulement à une longueur de club de votre balle.
Règle 7
En tapant en direction du trou, vous devez jouer la balle honnêtement pour la mettre dans le trou, et non pas jouer sur la balle de votre adversaire, et sans vous écarter de votre trajectoire.
Règle 10
Si la balle est arrêtée par une personne, un cheval, un chien ou un quelconque obstacle, elle doit être jouée là où elle repose.
Règle 13
Aucun fossé, rigole ou digue réalisé pour la préservation des links ne sera considéré comme un obstacle, mais la balle devra être ramassée, surélevée et jouée avec n'importe quel fer. »

Voilà donc quelques-unes des plus anciennes règles universellement adoptées jusqu'en 1897, date à laquelle le Royal & Ancient Club en porta le nombre à environ trente-six, dont certaines étaient accompagnées de précisions et d'amendements. Aujourd'hui encore, les clubs du monde entier suivent les règles édictées par le golf de Saint Andrews.

Le Royal & Ancient Club n'est pas propriétaire du links de Saint Andrews comme on le croit généralement. Ce dernier est tenu par fidéicommis, selon un décret du Parlement, et administré par un comité. Jusqu'en 1913, le golf était gratuit pour les résidents et les visiteurs, bien qu'un droit insignifiant ait été demandé pendant les mois de juillet, août et septembre.

Au milieu du XIXe siècle, le Comité A-NON édicta à son tour ses propres règles de golf qui prêtent aujourd'hui à sourire.

«Règle 15 (révisée)

... *En cas de désaccord sur un quelconque point, les joueurs ont le droit de désigner le ou les individus qui devront arbitrer le désaccord. En cas de refus, l'un des joueurs concernés peut demander l'arbitrage d'une autre personne, et sa décision l'emportera, à l'exception toutefois de la non conformité aux règles du golf, auquel cas les joueurs pourraient en référer à une tierce personne ; et dans l'éventualité où elle serait en désaccord avec l'autre individu, toute décision unilatérale pourrait être acceptée.*

Règle 7

... *Un joueur ou le caddie d'un joueur ne pourra supprimer aucune irrégularité ou retrancher un quelconque excès de points sur la carte de score, sauf en secret, sous peine de perdre sa réputation.*

Règle ?

... *Tout obstacle pourra être retiré du green dans une limite de 18,3 mètres du trou. Mais une balle reposant à moins de 18,3 mètres du trou et qui exige d'être jouée avec un fer lourd ou un cleeck sur un sol accidenté ou inégal, ne pourra être considérée comme étant sur le green, ni bénéficier du privilège des obstacles, ce privilège étant limité au green où seuls les putters en fer ou en bois sont utilisés.*

... 1888

Le terme "green" désigne les parties du links dépourvues d'obstacles dans un rayon de 18,3 mètres autour du trou.

... 1900

Le terme "green" doit s'appliquer à tout le terrain dans un rayon de 18,3 mètres autour du trou, obstacles exceptés.»

Le premier club anglais, le Blackheath Golf Club, s'enorgueillit du soutien de joueurs en relation avec la famille royale et des hommes d'affaires de la cité de Londres. Le club affirme avoir été constitué en 1608, mais aucune preuve écrite ne confirme cette date. Un trophée d'argent, disputé en 1766, conforte toutefois la position de Blackheath en tant que premier club fondé en Angleterre. En 1901, Edouard VII lui accorda gracieusement l'appellation très convoitée de «royal».

Sur la côte ouest du pays, le parcours de neuf trous du Old Manchester Golf Club fut fondé en 1818. Le club, qui ne compte plus que quelques membres, existe toujours, même s'il ne dispose plus aujourd'hui de son propre terrain.

Le Royal North Devon Golf Club, le quatrième plus ancien club d'Angleterre et mieux connu sous le nom de Westward Ho !, fut créé en 1864. Aujourd'hui, d'ailleurs, les joueurs peuvent pratiquer le golf sur les links d'origine, ceux-là mêmes qui furent édifiés lors de la fondation du club.

Dans le Surrey, la London Scottish Society, fondée en 1863, rejoignit le Wimbledon Golf Club en 1865, tandis que le Wimbledon Ladies Golf Club fut créé en 1872. À ses débuts, Wimbledon avait la réputation d'être le parcours le plus difficile d'Angleterre, mais sa popularité était telle que, vers 1908, un second parcours de dix-huit trous fut tracé sur Wimbledon Common, à l'emplacement d'anciens remparts romains.

Le Pontnewydd Golf Club et le Borth & Ymyslas Golf Club, datant respectivement de 1875 et 1885, sont probablement les premiers clubs du Pays de Galles. En Irlande du Nord, le Belfast Golf Club, qui reçut par la suite l'appellation «royal», et constitué d'un parcours

Lady Margaret Scott, première femme championne de golf, Saint Annes, Lancashire, 1893.

de neuf trous établi en 1881, ainsi que le Curragh Golf Club, situé dans le comté de Kildare, en Eire, sont connus pour être les plus anciens clubs au nord et au sud de l'île d'Émeraude.

Tout au long de la deuxième moitié du XIXe siècle, le golf féminin s'était très peu développé. Peut-être le nombre restreint de links et de parcours contribuait-il à ce faible intérêt. Toutefois, vers 1893, le premier championnat féminin eut lieu à Saint Annes, et Lady Margaret Scott remporta le titre, ainsi que les deux années suivantes. En 1894, la ville de Carnalea, dans le comté de Down, accueillit le championnat féminin d'Irlande, et Mlle Mullig fut sacrée vainqueur de ce premier grand tournoi féminin hors de Grande-Bretagne.

Tenue féminine de golf, très à la mode en France en 1913.

LES PREMIERS CLUBS DE GOLF
À L'ÉTRANGER

Durant le premier quart du XIXe siècle, le golf commença de se développer à l'étranger, avec la formation du Calcutta Golf Club en Inde.

Le parcours initial de neuf trous fut tracé en 1829 à Dum Dum, dans les faubourgs de Calcutta, et, selon la tradition écossaise, chaque trou portait un nom en rapport avec son environnement immédiat.

Un plan d'origine du parcours atteste l'hypothèse selon laquelle il aurait été tracé à l'emplacement d'un ancien dépôt de munitions ou d'un champ de tir désaffecté. Trois trous comportent des obstacles d'eau adjacents aux greens et aux fairways : l'un a un véritable bunker alors que près du jardin du club-house s'étendent les vestiges du magasin d'armement.

Jusqu'en 1890, les neuf trous formèrent un parcours de golf difficile, long de 3 100 mètres, le trou numéro 6, dit «du magasin», atteignant 543 mètres. Ce dernier devait se jouer par-dessus une route, à travers les arbres et au-dessus de rails de tramway, l'un des modes de transport reliant la ville au club. Le trou final, le 9, long de 413 mètres, portait le nom de «bière de gingembre».

En 1897, le club fut transféré de Dum Dum à Maidan, un autre faubourg de Calcutta, et son parcours de quinze trous resta ouvert jusqu'au début du XXe siècle. Enfin, l'arrivée des immigrants coloniaux et européens entraîna un troisième et dernier déménagement vers le site actuel.

Dans le livre de comptes de mars 1877, un document intéressant mentionne une commande de balles de golf et de clubs : «quatre douzaines, numéro 27 ; seize douzaines numéro 28 et quatre douzaines numéro 29 », précisant toutefois qu'«aucune ne devait être commandée à Morris».

En outre, des commandes furent passées pour vingt-quatre drivers, vingt-quatre longs spoons et vingt-quatre niblicks à tête en bois et semelle de cuivre. Une traite de trente-deux

livres sterling avait été envoyée. (La personne que l'on trouve mentionnée dans ce livre de comptes serait Tom Morris du club de Saint Andrews, le plus célèbre joueur de golf professionnel de l'époque.)

Pendant plusieurs années, le Royal Calcutta entretint d'étroites relations avec le Royal Blackheath, en organisant des compétitions et des matchs inter-clubs. En 1874 et 1875, les deux clubs mirent en jeu des médailles, à disputer chaque année au mois de février.

En 1903, le club s'agrandit et fit l'acquisition de nouveaux terrains destinés à d'autres sports, mais le parcours de golf n'ouvrit officiellement qu'en 1910, sous le nom de Calcutta Golf Club Links.

En 1912, à la suite d'une visite à Calcutta, le roi George V et la reine Mary accordèrent gracieusement au club le titre de «royal». Grâce à ce soutien, le club prospéra et accueillit le championnat de golf d'Inde et d'Orient. Il développa également d'autres sports, tels que le polo et le tennis, et put bientôt compter quelque cinq cents membres.

Le second club d'Inde, le Royal Bomba Golf and Sporting Club, fut essentiellement créé par des colons britanniques en 1842.

Fondés avant 1900, le Bangalore (1870), le Madras (1877), le Gymkhana Club Poona (1883), et, à Ceylan, le Colombo Club (1881) comptent parmi les clubs les plus importants en Inde.

EN HAUT : *Le fairway du 2 vu du départ, 1910.*
CI-DESSUS : *Le 3 vu du départ, 1910.*

PAGE DE GAUCHE : *Photographie des membres du Royal Calcutta Golf Club, vers 1900.*

DOUBLE PAGE SUIVANTE : *Le golf à Pau, 1890.*

Les parcours dans le monde

Le célèbre Pau Golf Club, créé en 1856 et situé dans les Pyrénées, est généralement reconnu comme le premier club de golf d'Europe continentale. Dès sa fondation et pendant une grande partie du XXᵉ siècle, il fut considéré comme le meilleur parcours du continent. On affirme d'ailleurs qu'il possède l'un des plus beaux gazons et qu'un cours d'eau, qu'il faut sans cesse traverser durant le jeu, constitue certainement sa principale difficulté. Au début du XXᵉ siècle, ce club pouvait s'enorgueillir d'un casino fréquenté par la haute société.

Le Biarritz Golf Club jouissait également d'une grande réputation. Établi en 1888, le parcours accueillait ainsi une clientèle célèbre et fortunée. Parmi ces membres, Arnaud Massy, vainqueur du British open en 1907, fut l'un des plus grands joueurs professionnels français.

En Allemagne, Baden-Baden, fondé en 1895, et le Berlin Golf Club, créé la même année, figurent parmi les parcours les plus importants. Le Hambourg Golf Course fut dessiné en 1899 avec un parcours de dix-huit trous, mais n'était ouvert que du mois de mai au mois d'octobre.

En Hollande, vraisemblablement le pays natal du *kolven*, le cousin du golf, ce sport se développa également à la fin du XIXᵉ siècle, avec la création du Haagsche Golf Club qui s'étend à quelque trois kilomètres de La Haye. Le parcours, dessiné en 1893, était constitué de neuf trous. Parmi les autres clubs de golf importants créés avant le XXᵉ siècle, citons le Doornsche Golf Club et le Rosendale Golf Club – doté d'un parcours de neuf trous – respectivement fondés en 1894 et 1896.

Au Danemark, le parcours de Copenhague, construit en 1899, était ouvert toute l'année, y compris le dimanche.

En Suède, où le golf connut la même popularité qu'en Europe, la majorité des parcours, parfois saisonniers, ont été tracés dès les années vingt et trente. Seuls quelques-uns d'entre eux existaient avant la Première Guerre mondiale, notamment ceux de Gothenburg (1902), de Stockholm (1904) et les links en bord de mer de Falsterbo (1909), qui implantèrent durablement ce jeu dans la région.

En Belgique, le club de golf d'Antwerp, créé en 1888, jouissait d'une très bonne réputation.

Le Saint-Moritz, l'Engadine Golf Club et le Samaden Golf Club fusionnèrent en 1902, offrant ainsi des parcours de neuf et dix-huit trous à tous ceux qui souhaitaient venir jouer en Suisse.

En Italie, le Rome Golf Club, ouvert de novembre à juin, fut dessiné en 1898, tandis que l'île de Malte abrite un club plus que centenaire. Fondé en 1890, à trois kilomètres de

La Valette, le Royal Malta Golf Club avait un parcours de dix-huit trous «bien fréquenté par les gentilshommes de la flotte et de la marine marchande».

En Afrique du Nord, le Khedival Sporting Club fut fondé en 1880. Les greens avaient la réputation d'être bruns, en raison de la présence de gisements de pétrole dans le sol durci par le soleil. Avant la Première Guerre mondiale, seules des chaussures en caoutchouc sans talons étaient admises, et des règles précises avaient été établies. En 1910, il était en effet spécifié qu'«au neuvième trou, le coup de départ doit atteindre une plantation d'abricotiers, alors qu'une rangée de citronniers à droite et une orangeraie à gauche exigent un coup parfaitement droit.»

En Afrique du Sud, environ dix-huit clubs furent fondés avant 1900, le premier d'entre eux étant le Pietermaritzburg Golf Club, dessiné

Le golf au Touquet, vers 1903.

en 1884. Le Harrismith et le Grahamstown Golf Club, dotés d'un parcours de dix-huit trous, furent respectivement créés en 1885 et 1888.

Au Canada et aux États-Unis, il fallut plusieurs années pour que le golf prenne véritablement son essor. À la fin du XVIIIe siècle et au début du XIXe, on trouve trace cependant de livraisons de clubs et de balles de golf, expédiés d'Écosse vers le Canada et les États-Unis, à l'occasion des traversées des immigrants écossais se rendant dans le Nouveau Monde. Il est toutefois précisé dans les registres de bord que ces bagages étaient « à laisser en soute ».

Au Canada, quatre clubs virent le jour entre 1873 et 1876 : le Brantford Golf Club en Ontario et le club de Montréal en 1873. À l'époque, ce dernier avait un parcours saisonnier de dix-huit trous, ouvert d'avril à novembre. En 1904, il accueillit le premier open canadien remporté par J. H. Oke, né en 1880 à Northam, dans le Devon, en Angleterre, et joueur professionnel à l'Ottawa Golf Club.

Le Royal Québec et le club de Toronto furent respectivement fondés en 1874 et 1876, et, vers 1905, ce dernier pouvait se féliciter de compter plus de cent demandes d'adhésion.

THE EIGHTEENTH GREEN.

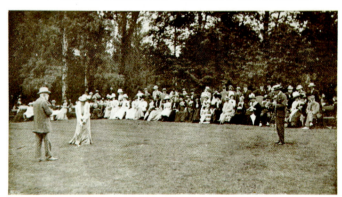

LES DÉBUTS DU GOLF AUX ÉTATS-UNIS

LES officiers des régiments écossais, qui s'engagèrent dans la guerre d'Indépendance américaine à la fin du XVIIIe siècle, avaient confectionné des clubs de golf afin de pratiquer ce sport pendant leur temps libre. Mais une fois le conflit terminé, le golf tomba en désuétude.

Il connut cependant un regain d'intérêt en Caroline du Sud et à Savannah, ainsi qu'à Philadelphie, où le Cricket Club, fondé en 1854, ouvrit un parcours de dix-huit trous, avec le concours d'un professionnel enseignant la pratique de ce sport.

En 1888, à Yonkers – ville de l'État de New York –, John Reid et ses amis eurent l'idée de créer un club de golf, après s'être quelque temps exercés à ce sport sur un petit parcours de trois trous, situé dans un champ alentours. L'enthousiasme de ces joueurs attirant un public de plus en plus nombreux, il fut décidé de construire un parcours plus grand sur un autre terrain.

La beauté du site, réputé pour son gazon, évoquait la topographie de certains links écossais. Peu de temps avant que ne soit achevé le parcours de six trous, le Saint Andrews Club,

CI-CONTRE : *Probablement la première photographie américaine de golf représentant le «groupe du pommier» en 1888, à Saint Andrews, New York.*

PAGE DE GAUCHE
À GAUCHE : *Les débuts du golf à Pau, vers 1903.*
À DROITE : *Un concours de putting au Homburg Golf Club, en Allemagne, vers 1905.*

qui doit son nom au célèbre links de Fife, fut constitué.

Quatre ans plus tard, suite à de nombreux démêlés avec des promoteurs immobiliers, le Saint Andrews Club dut une fois de plus déménager. On choisit alors comme emplacement une plantation de pommiers pour construire un nouveau parcours, les membres fondateurs se baptisant eux-mêmes par la suite «Groupe du pommier».

Vers 1892, de nombreux spectateurs souhaitant intégrer le club et prendre part au jeu, le Saint Andrews dut faire l'acquisition d'un autre terrain pour construire un meilleur parcours, composé cette fois de neuf trous. Cependant, l'intérêt pour le golf ne cessant d'augmenter, le club dut déménager un an ou deux plus tard, pour un parcours de dix-huit trous au mont Hope, à Westchester, dans l'État de New York. Deux ans après, en 1894, le Saint Andrews Club avait désormais acquis sa notoriété. Il accueillit le premier open d'Amérique, tournoi non officiel qui fut remporté par Willie Dunn, un émigrant écossais de l'East Lothian.

À la fin du XIXe siècle, d'autres clubs et parcours s'établirent aux États-Unis. En effet, la réputation du Saint Andrews Club avait attiré de nombreux joueurs, qui se firent alors dessiner des parcours et engagèrent du personnel pour les entretenir.

L'Oakland Club fut créé à New York en 1889, la même année que le Pomonok, alors que le Country Club, à Buffalo, fut sans doute fondé plus tardivement.

Le parcours de neuf trous Apawamis de Rye, à New York, est répertorié sur les registres anglais comme ayant été tracé en 1890.

Le golf, qui s'était développé aux États-Unis, devait bientôt se populariser dans toute l'Amérique, au même titre que d'autres sports déjà bien implantés.

En effet, à la fin du XIXe siècle, de nombreux clubs de golf furent créés en Amérique du Sud. En 1896, un parcours, ouvert de mars à décembre, fut construit dans la capitale de

Shinnecock Hill, le premier club-house construit aux États-Unis.

l'Uruguay, à Montevideo. Un an plus tard, le Valparaiso Golf Club s'implantait au Chili. En 1900, l'État du Belize et la ville de Mar del Plata, en Argentine, furent à leur tour dotés d'un club de golf. Toujours à la même époque, signalons l'Island Links aux Bermudes et le Jamaica Golf Club.

Golf féminin aux États-Unis vers 1906.

Les origines du golf en Australie et en Asie

EN 1870, l'Adelaïde Golf Club fut fondé au sud de l'Australie. Au début du XXe siècle, le Seaton Club était réputé pour posséder le plus long parcours du championnat d'Australie, et n'avait, selon le public britannique, rien à envier aux clubs de golf anglais. Une dizaine d'années plus tard, l'Australian Golf Club fut créé à Kensington, le parcours étant situé à six kilomètres environ de Sydney.

Le Royal Melbourne Golf Club est certainement l'un des plus anciens clubs d'Australie. Établi en 1891, il jouit de la même notoriété que celui d'Adelaïde. Au début du XXe siècle, le club offrit aux joueurs des possibilités d'hébergement. Avec deux parcours en Tasmanie – le Launceston Golf Club et le Lindisfarne Golf Club – l'Australie possède vingt-deux clubs de golf fondés avant 1900.

Créé en 1894, le championnat amateur fut le premier grand tournoi d'Australie, remporté en 1905, 1907, 1909 et 1910 par M. Scott, un éminent joueur de golf originaire du Kent, en Angleterre. Il fut aussi le vainqueur du premier open d'Australie en 1904 et 1907.

Si la Nouvelle-Zélande compte environ une douzaine de parcours créés avant le XXe siècle, le plus ancien club, le Christchurch Golf Club, date de 1873. Ce n'est qu'en 1892 que furent ouverts les clubs de golf d'Otago, de Dunedin, d'Otago Ladies (dans l'Ile du Sud) et d'Hutt, près de Wellington (dans l'Ile du Nord). Assez curieusement cependant, la Nouvelle-Zélande organisa de grands championnats de golf avant l'Australie.

Le championnat amateur de Nouvelle-Zélande se disputa sur le parcours de Dunedin en 1893, tout comme le championnat féminin de Nouvelle-Zélande. Cette même année marqua également l'ouverture du premier championnat britannique féminin.

Au début du XXe siècle, le golf s'était développé dans le monde entier, et des parcours avaient été créés au Canada, en Afrique du Sud, en Inde, à Singapour, à Java et à Hong-Kong, pour ne citer que les plus célèbres. Ainsi, de nombreux colons pouvaient s'adonner au golf, un sport qu'ils avaient pratiqué auparavant sur les links balayés par le vent des îles Britanniques.

Aucun recensement des parcours créés dans le monde avant 1900 ne serait complet si l'on ne mentionnait certains d'entre eux moins connus. En Russie, le Saint-Petersbourg Mourino Golf Club, fondé en 1895 et doté d'un parcours de neuf trous, comptait environ vingt-cinq membres.

En Chine, le Wei-Hai-Wei Golf Club, établi en 1900 sur une presqu'île orientale «à 130 kilomètres de la ville la plus proche», et le Tientsin Golf Club en Chine du Nord méritent également d'être cités. Ce dernier, créé aussi en 1900, avait un parcours traversé par un fossé et doté d'un grand mur en terre de neuf mètres de haut, qui servaient d'obstacles et de

Le putt par Charles Edmund Brock, en 1895.

point de départ. Des tombeaux chinois constituaient des monticules de terre de trois à quatre mètres de haut, formant d'excellents obstacles. Une annexe exceptionnelle à la loi du pays permettait de «retirer une balle d'un cercueil ouvert, sans encourir de pénalité».

Au Japon, Kobé fut le premier parcours de golf. Créé en 1903 par un marchand d'origine britannique, il était situé à flanc de montagne et se composait à l'origine de quatre trous. Deux ans plus tard, il passa à neuf trous, puis finalement à dix-huit trous en 1904.

La première compétition de golf organisée au Japon eut lieu en mai 1903, au Kobé Club : le vainqueur remporta le premier prix sur dix-huit trous en medal play avec un score de 95. Les participants utilisaient sans doute encore des balles en gutta-percha plutôt que celles en caoutchouc, relativement récentes.

Ces anciens parcours et links s'organisaient de façon tout à fait originale. Dans bien des cas, le club était dirigé par un secrétaire bénévole, le plus souvent d'origine britannique. Dans les avant-postes de l'Empire, de nombreux clubs avaient engagé des officiers supérieurs, de la marine ou de l'armée, ou des administrateurs du gouvernement pour s'occuper des affaires financières et des loisirs. Ces diverses activités, bien que bénévoles, s'accompagnaient toutefois de compensations tout à fait appréciables, telles que la gratuité du golf, les repas et parfois le logement.

CI-DESSUS : *Le golf en Tasmanie, 1906.*

PAGE DE DROITE : *Les débuts du golf à Oatlands, en Australie, 1904.*

Autrefois, on avait coutume de dire qu'il n'existe «aucune raison, d'un point de vue naturel, pour ne pas commencer le golf dès que vous savez marcher, et ne pas continuer tant que vous pouvez marcher».

Si ce dicton avait un sens en 1900, il en allait tout autrement dans les siècles passés. Alors que certains considéraient le golf comme un loisir, d'autres le prenaient très au sérieux et s'entêtaient (comme le disait le précepteur de H.G. Hutchinson dans les années 1880) à «mettre de petites balles dans de petits trous, avec des instruments peu adaptés».

Le jeu semblait tout indiqué pour les membres les plus sportifs de la société. Munis d'un certain nombre de clubs, ils partaient sur les links et tapaient leur balle avec enthousiasme, espérant lui faire parcourir une distance de 150 mètres ou plus. Aussitôt après, le joueur ramassait ses clubs et suivait la balle en courant afin de la retrouver et de répéter l'opération. Il va sans dire qu'une telle pratique, qui ne respectait aucune règle précise, entraîna inévitablement des accidents plus ou moins graves.

On raconte ainsi qu'en 1784, un professeur de golf du Fife fut touché au genou par la balle en cuir de son compagnon et dut être amputé de la jambe !

Des années plus tard à Edimbourg, «la malheureuse victime avait drivé, suivant immédiatement sa balle. Après avoir marché vingt-cinq bons mètres, son adversaire, dont c'était le tour de jouer, cria " balle ! " et driva. La balle frappa le premier joueur et l'assomma ; de retour chez lui, il mourut le lendemain.»

Ces accidents terribles illustrent le peu d'attention accordée alors aux règles de golf et la négligence criminelle de certains joueurs ; mais ils donnèrent sans aucun doute matière à réflexion à bon nombre de sportifs et leur firent prendre conscience des dangers qu'un tel sport pouvait entraîner.

L'ORIGINE DES CLUBS

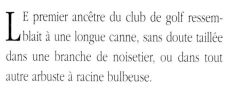

Le premier ancêtre du club de golf ressemblait à une longue canne, sans doute taillée dans une branche de noisetier, ou dans tout autre arbuste à racine bulbeuse.

On suppose qu'il fut à l'origine utilisé pour taper dans des pommes de pin, marrons et autres petits fruits durs, plutôt que dans des cailloux, ce qui aurait risqué de blesser les mains et d'endommager le bâton.

Quelles que soient ses origines, le club de golf ressemblait beaucoup aux bâtons ou battes utilisés dans des jeux comme le hockey, qui se pratiquaient aux Pays-Bas sur les rivières et canaux gelés. Ces instruments se composaient d'une tête recourbée et d'un manche muni d'une poignée.

On pense que les premiers clubs furent façonnés par des navigateurs écossais, qui aimaient jouer au golf à leur retour de voyage en mer du Nord. Ils utilisaient alors une balle en bois ou en cuir, fabriquée par des artisans.

Le fait que les premiers fabricants de clubs résidaient sur la côte Est, dans ce qu'on appelait à l'époque les comtés d'East Lothian et de Midlothian, de Fife, d'Angus, de Kincardine et d'Aberdeen, conforte l'idée selon laquelle le

Très vieille branche de noisetier taillée en forme de canne. Il est évident que la «tête» a été utilisée pour frapper des objets au sol.

golf, tel qu'on le pratique aujourd'hui, naquit en Écosse. Par conséquent, les premiers links étaient eux aussi situés dans la même région.

En ce qui concerne la fabrication des clubs de golf, il est indispensable de connaître l'origine et le type des matériaux utilisés.

William Saint Clair, 1772.

CI-DESSUS : *William Inglis, capitaine de l'Honorable Compagnie des golfeurs d'Edimbourg, de 1782 à 1784.*
AU CENTRE : *Portrait d'un joueur de golf de Blackheath, par Lemuel Abbott, 1792.*
À DROITE : *Willie Cunn, surnommé «Willie l'original», caddie excentrique de Bruntsfield, en Écosse, au début du XIXe siècle.*

Le Golf 51

Les premiers bois

Le club Royal & Ancient de Saint Andrews abrite sans aucun doute l'une des plus belles et des plus importantes collections de clubs anciens qui, aujourd'hui encore, pourraient être utilisés. Ces objets étant rarement exposés, seules des reproductions nous permettent de mieux les connaître.

La majorité d'entre eux sont entièrement en bois, bien que depuis un an ou deux des modèles en métal soient apparus sur le marché, à la plus grande joie des collectionneurs prêts à investir des fortunes lors de ventes aux enchères. Des clubs à têtes et manches en bois, datant de la seconde moitié du XVIIIe siècle, ont été conservés ; des clubs à têtes en métal, plus rares et plus anciens, font aujourd'hui partie de collections privées (dont celle du club de Saint Andrews), et sont en excellent état. Les premiers bois se composaient – selon les standards actuels – d'une demie série de clubs comportant un playclub, un grassed driver, un spoon long, moyen et court, un niblick en bois et un putter également en bois. On pouvait y ajouter le driving putter et le baffing spoon. Ces sept clubs représentaient un bagage très lourd si l'on ne pouvait s'offrir les services d'un caddie, le porte-clubs et le sac de golf n'étant apparus que dans les années 1870. Ce matériel du milieu du XVIIIe siècle, qu'on aurait pu croire rudimentaire et peu maniable, était au contraire très bien conçu. Des artisans confirmés façonnaient des clubs à la fois esthétiques et parfaitement équilibrés, dont la tête et le manche étaient assemblés à mi-bois. Chacun d'entre eux avait une fonction bien précise :

LE PLAYCLUB OU DRIVER : un bois long et mince à face verticale, équipé d'un manche de 106 à 114 cm, et d'un grip à poignée rembourrée. Le manche était fixé à la tête du club par une enture.

LE GRASSED DRIVER : sa tête et son manche sont à peine plus courts que ceux du playclub. Légèrement ouvert, il permet de lever la balle par vent arrière et dans les bons lies sur le fairway.

LES SPOONS LONG, MOYEN ET COURT : ce sont des clubs à tête longue, dont la taille du manche est décroissante, tandis que l'ouverture de face est croissante. Ils sont plus connus sous le nom de «scrapers». Le long spoon ayant un angle plus fermé, il servait fréquemment de driver.

NIBLICK EN BOIS : ce club à manche rigide, avec un angle aigu et bien lesté, permet de dégager les branchages ou mottes de terre, et de sortir la balle de l'herbe haute, du sable et des bunkers.

EN HAUT : *Copies de spoons long, moyen et court datant de 1850, spécialement réalisées d'après les modèles de McEwan. Leurs têtes sont en hêtre et les manches en noyer blanc d'Amérique et en frêne.*

CI-DESSUS : *Putters assemblés par enture (l'un est lesté de plomb).*

LE PUTTER EN BOIS : il a une tête plus petite que les drivers et les clubs de fairway, et est équipé d'un manche moyen ou long. Le lest est placé dans la tête. Pour être un bon putter, le joueur avait besoin d'un club bien équilibré.

LE DRIVING PUTTER : il est de même longueur que le grassed driver et se confond facilement avec lui. Ce club, peu ouvert comme le play-club, a une face légèrement plus large. Il est idéal pour frapper bas la balle contre le vent, ainsi que pour les approches et les coups roulés vers le green.

LE BAFFING SPOON : sa longueur est sensiblement la même que celle du spoon moyen, avec un angle intermédiaire, entre celui des spoons moyen et court. La balle devait être frappée à la descente de swing comme un coup punché. Elle s'arrêtait alors avec un effet de backspin, aussitôt après avoir franchi un obstacle.

Collectionner les premiers clubs

Ci-dessous : *Matériel utilisé pour la fabrication des clubs. Pot de colle, ficelle enduite de poix, morceau de poix, chevilles en bois et grip neuf.*

Tous ceux qui souhaitent collectionner des clubs anciens doivent savoir parfaitement les identifier. En effet, il existe aujourd'hui sur le marché de nombreuses copies, qu'il est parfois difficile de repérer tant elles reproduisent fidèlement l'aspect de l'objet d'origine.

Pour toute acquisition, il est préférable d'exiger un certificat d'authenticité en bonne et due forme, de s'adresser de préférence à des antiquaires ou d'aller dans une salle des ventes.

Pour reconnaître les bois «long-nez», judicieusement nommés, vérifiez qu'ils ont un manche mince et une face étroite. La tête sera composée d'un morceau de corne de bélier sur le bord principal de la semelle. Souvent, une pièce de cuir garnit la face du club. Le col ou l'emboîture du manche sera collé et fixé avec 12 ou 14 centimètres de ficelle poissée – parfois appelée fil noir.

Les clubs à tête assemblée par enture (voir page 53) offrent un trait distinctif à l'extrémité inférieure de la ficelle, où une languette du manche apparaît contre la tête. Cependant, on ignore aujourd'hui la raison pour laquelle cet étrange assemblage a été conçu.

À l'origine, les clubs long-nez étaient équipés de grips en peau de chamois rembourrée ou en peau de mouton retournée, que l'on remplaçait au fur et à mesure qu'elles s'abîmaient.

La présence de colorants et de gomme-laque (l'équivalent du vernis actuel) sur la tête des anciens clubs long-nez empêche bien souvent de déterminer l'essence de bois utilisée. Des spécialistes pourraient être d'une aide précieuse, sauf toutefois si le nom du fabricant est clairement inscrit sur la tête, un gage suffisant pour authentifier le club.

Du bois d'œuvre, provenant de nombreuses espèces différentes, ou parfois de jeunes arbustes, fournissait aux artisans leur matière première. On utilisait des bois durs comme le hêtre – notamment le hêtre d'Écosse, cultivé dans des régions froides et apprécié pour sa robustesse – ainsi que les bois d'arbres fruitiers comme le pommier et le pêcher, ou encore d'autres essences comme le charme, le cornouiller, et à l'occasion le houx (un bois noueux). Cependant, au début du XIXe siècle, on préféra le persimmon, un bois à la fois souple et résistant.

Jusqu'en 1870, on continua de fabriquer des bois long-nez, tout en réduisant la longueur de leur tête dans les années 1880. Dès lors, on vit apparaître des clubs munis de têtes «bombées» (la face du club était partiellement arrondie), «en forme de poire», «à emboîtement» et «à emboîtement avec manche traversant».

Les manches de ces premiers clubs étaient sans doute en bois de greenheart, de palissandre, de lancewood et de noisetier, puis, par la suite, en frêne, et enfin en noyer d'Amérique. Ce dernier était utilisé pour la fabrication des cannes, des manches de mar-

CI-DESSOUS : *Sélection de têtes en bois datant de 1920 et plus ; une tête entaillée pour manche assemblé par enture, deux têtes en hêtre forées pour manches en bois, une tête en persimmon percée pour le métal. Ajustements en corne de bélier pour le côté principal de la face du club.*

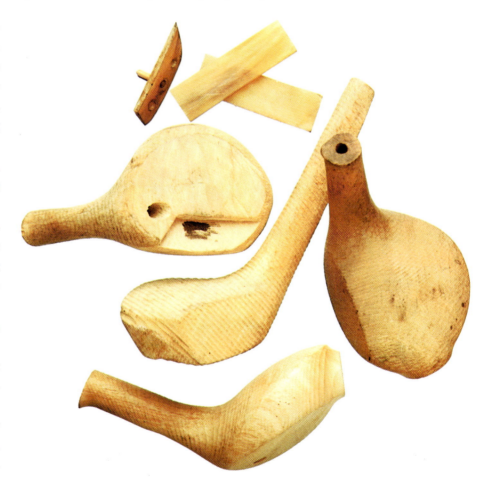

56 Le Golf

L'atelier de Robert Forgan, à Saint Andrews, vers 1890.

teaux et de pioches, et de bien d'autres outils. Ce même bois offrait différentes variétés : la ronce de noyer (le cœur de l'arbre), fendue en planchettes, était élastique et très solide, ainsi que le noyer rouge et blanc d'Amérique du Nord, encore plus robuste.

On a déjà évoqué précédemment les origines obscures du golf. On ignore également qui a façonné le premier club. Toutefois, ceux qui souhaitent acquérir un club long-nez ancien peuvent se référer aux fabricants des XVIIIe et XIXe siècles. Voici une liste (non exhaustive) de noms susceptibles de figurer en haut de la tête du club, ordinairement en lettres capitales. Les dates indiquées sont approximatives :

J. McEwan 1770	Jackson 1825
S. Cossar 1788	Dunn 1840
P. McEwan 1800	T. Morris 1845
H. Philp 1815	J. Patrick 1845
Munro 1820	J. Wilson 1845

Les fabricants mentionnés ci-dessus concevaient des clubs avant 1850, et des échantillons de leur production ont été conservés chez des collectionneurs et dans des musées. D'autres noms antérieurs à 1850, tels que Ballantyne, Bailey, Davidson, Donaldson, Kirk, Manderson et Sharpe, pour n'en citer que quelques-uns, étaient également célèbres dans la profession, mais il est rarissime de trouver un spécimen de club long-nez estampillé de cette époque.

ASSEMBLAGES DES TÊTES DE CLUB AU MANCHE
DE GAUCHE À DROITE : *Assemblage à emboîtement, à languette, à emboîtement (manche traversant) et à sifflet.*

Après 1850, d'éminents artisans tels que Park, Hutchinson, Sayers, Simpson, Collins, Beveridge, Hunter, Forrester, Forgan, Strath, McDonald, Hood et Dow fabriquèrent des clubs aujourd'hui reconnus par les collectionneurs et les amateurs pour la qualité de leur facture. L'acquisition d'un club signé de l'un de ces artisans sera un investissement de valeur.

Le golf commença vraiment à se développer à partir de 1875. En effet, on pouvait alors dénombrer près de soixante parcours et plus d'une centaine de clubs et sociétés (Musselburgh, notamment, comptait cinq clubs et sociétés sur son links). En 1860, la création de l'open de golf à Prestwick Links a très certainement contribué à la notoriété de ce jeu.

Il est difficile de dire si des clubs à tête en métal furent fabriqués à la même époque que le matériel à tête en bois, mais si tel fut le cas, ils étaient beaucoup moins nombreux. Étant donné leur forme, leur taille et leur poids, ils devaient essentiellement servir à sortir la balle du rough et des obstacles, ou à arracher les chardons et autres mauvaises herbes qui poussaient sur les fairways.

Quoi qu'il en soit, les track irons, les sand irons, les lofting irons et les cleeks se développèrent peu à peu au fil des ans, et au milieu du XIXe siècle, ils supplantèrent deux ou trois des bois les plus courts. L'apparition de clubs à têtes bombée et intermédiaire facilita la pratique du jeu. Ce matériel, de meilleure qualité, était également plus résistant. Les têtes plus courtes et plus grosses réduisaient la torsion du manche et permettaient d'envoyer une balle bien frappée beaucoup plus loin.

Vers 1890, la tête à emboîture apparut. Le manche effilé s'insérait dans un trou de 5 à 6 centimètres de profondeur, percé dans l'emboîture du bois. Il était ensuite collé puis fermement fixé avec une ficelle poissée qui, de même que la tête colorée, était recouverte d'une couche de cellulose et de gomme-laque.

Cet assemblage du manche fut rapidement suivi par l'emboîture «transversale»; le trou traversait alors le col du club de haut en bas. Un fabricant nommé Scott inventa une autre technique, en expérimentant un manche à languette, inséré dans une mortaise creusée dans l'emboîture. Malheureusement, ces assemblages fragilisaient le club, l'humidité empêchant la colle de maintenir correctement la jointure.

Peu à peu, l'emboîture transversale s'imposa comme la méthode la plus sûre pour fixer la tête au manche, et cette technique perdura jusqu'à l'époque des manches en acier.

Vers 1890, la conception du matériel s'était considérablement améliorée et on trouvait désormais des modèles de clubs «en forme de poire» très bien conçus. Ainsi, ces premiers artisans, grâce à leur habileté et à leur compétence, avaient déjà inventé la ligne de la tête de club telle qu'elle existe encore aujourd'hui.

INVENTIONS ET CURIOSITÉS

Si l'équipement tendait à se standardiser, de nombreux brevets fantaisistes furent déposés, quelques-uns étant franchement farfelus. Parmi toutes ces créations, on peut notamment citer les têtes équipées de roulettes, les têtes à ressorts, les têtes remplies de liquide, et d'autres accessoires grâce auxquels le joueur pouvait modifier le poids ou l'équilibre du club. Si certaines de ces innovations furent commercialisées, leur succès fut en revanche de courte durée.

En 1894, un membre de la famille Dunn conçut un club constitué d'une tête et d'un manche taillés dans une seule pièce de bois, la tête et l'emboîture étant courbées et mises en forme à la vapeur. Forgan imagina un club similaire, et sans aucun doute ces brevets étaient-ils exploitables, mais leur coût excessif empêcha toute commercialisation.

Dunn avait inventé une autre méthode consistant à exploiter les jeunes arbres qui poussaient sur les rives des cours d'eau, et les haies d'arbustes dotés d'une racine bulbeuse, suffisamment large pour former la tête du club ; le manche était alors raboté et poncé au papier de verre, alors que la tête était façonnée à partir d'une racine hypertrophiée. L'opération s'avéra longue et coûteuse, ôtant tout espoir de commercialisation à son inventeur.

Willie Park imagina à son tour une tête en bois à col courbé. Un morceau de noyer d'Amérique à veine droite était chauffé à la vapeur et courbé jusqu'à ce que la tête et l'emboîture aient une veine continue sur toute la longueur du club. Le manche, quant à lui, était façonné à partir d'une autre pièce de bois.

Avant le tournant du siècle, la majorité des bois avaient été remplacés par des clubs à tête en métal. Seuls quatre bois étaient utilisés pour jouer sur le départ et le fairway : le driver, le brassie, le spoon et le baffy.

Le driver, muni d'un long manche flexible et d'une tête à face verticale, pouvait envoyer des balles à de longues distances.

Le brassie, avec un manche plus court et plus rigide, et une face arrière biseautée, permettait de lever la balle mais l'envoyait moins loin.

Le spoon était similaire quoique plus court et plus rigide, avec une ouverture de face supérieure.

Le baffy, un petit club à tête ronde avec une ouverture de face assez grande, était l'instrument favori pour sortir la balle du petit rough, ou pour jouer les trous plus courts qui exigeaient un mouvement moindre de la balle.

Ces quatre clubs – plus tard les bois n° 1, 2, 3 et 4 – prirent place dans le sac de golf

C<small>I-CONTRE</small> : *Un spoon à semelle en «V» (bois n° 3) datant de 1920.*

C<small>I-DESSUS</small> : *Un putter insolite à deux faces, conçu par Daniel de Cleveland, dans le Somerset. Il est ajustable et pouvait être lesté en ôtant le capuchon situé à l'extrémité et en insérant un tube en laiton.*

Michael Hobbs/Allsport

pendant de longues années, et ressemblent, dans une large mesure, aux modèles actuels.

Avant d'étudier les fers, certains artisans qui fabriquèrent les premiers instruments en bois méritent d'être mentionnés.

Divers documents ont gardé la trace de l'appointement royal de William Mayne en 1630. Il est probable que sa vie restera dans l'oubli, et ce n'est qu'un siècle plus tard que l'on a découvert quelques clubs (précieusement conservés par le Royal Troon Golf Club), en même temps qu'un journal daté de 1741. Sans doute une marque de fabrique avait-elle été estampillée sur l'une des têtes en bois, mais elle est trop endommagée pour que son nom et celui du fabricant puissent être identifiés.

James McEwan et Simon Cossar figurent parmi les premiers artisans dont le travail est aujourd'hui attesté. Ils exercèrent cette activité tout au long de leur vie et travaillèrent pour différents clubs de golf en tant que fournisseurs, professeurs et réparateurs de clubs, tandis que le nombre d'amateurs et de joueurs ne cessait de croître.

Dans les années 1780, à Edimbourg, J. McEwan et D. Gourlay (éminent fabricant de balles) ouvrirent une boutique sur le parcours de Bruntsfield. Plus tard, ils s'associèrent et les familles reprirent l'affaire jusqu'à ce que les McEwan déménagent à Musselburgh.

Allan Robertson, probablement le meilleur fabricant de balles en plume de l'époque, et natif de Saint Andrews, joua et travailla régulièrement sur l'Old Course et finit par être désigné gardien du links. Également réputé pour être le premier et le meilleur golfeur professionnel, il remporta des gains importants au cours de matchs organisés par de riches parieurs.

Alors que d'autres clubs confortaient leur position, des golfeurs capables d'enseigner, de jouer, de fabriquer et de réparer le matériel, mais aussi de veiller à l'entretien des parcours, furent engagés comme gardiens du green par le Saint Andrews. Plus tard, les clubs furent contraints de créer deux postes, celui de professionnel de golf et de greenkeeper.

Tom Morris, successeur de Robertson à Saint Andrews, fut nommé gardien du green à Prestwick à partir de 1851, jusqu'à son retour dans sa ville natale en 1865. Grâce à lui, le Old et le New Courses connurent une notoriété et une fortune comparables à celles de Saint Andrews.

Alors que l'Histoire voudrait que l'on ait joué au golf sur des links pendant au moins cinq siècles, le golf de compétition ne débuta vraiment qu'aux environs de 1850.

La première compétition, une épreuve en stroke-play, se déroula à Saint Andrews en 1806. Le prix, une médaille d'or, fut offert par le Saint Andrews Golf Club, et les participants étaient uniquement des amateurs. La compétition reçut le titre de Rencontre d'automne, et Walter Cook remporta la médaille avec un score de 100 sur 18 trous. Il renouvela son exploit l'année suivante, terminant le tour en 101.

Il est d'ailleurs surprenant qu'aucun livre de record ne le mentionne en tant que vainqueur de la première compétition de golf.

À la fin des années 1830, d'autres tournois amateurs furent organisés, et vers 1850, les meilleurs joueurs commencèrent à se faire connaître à travers le pays.

PAGE DE GAUCHE : *Tom Morris, 1885.*

CI-DESSUS :
Magazines de golf d'avant la Première Guerre mondiale.

Le premier open

Le premier tournoi open eut lieu à Prestwick en 1860. Le trophée, connu sous le nom de Ceinture du championnat, se disputait chaque année et avait l'avantage d'être ouvert à tous les golfeurs, qu'ils soient amateurs ou professionnels.

Chacune de ces compétitions devait se jouer sur 36 trous. En 1860, cette épreuve équivalait en fait à trois tours du parcours de 12 trous de Prestwick.

Willie Park senior, de Musselburgh, remporta l'open inaugural avec un total de 174 ; ses scores respectifs pour chaque tour étaient de 55, 59 et 60. Huit professionnels prirent part à la première compétition mais malheureusement, Allan Robertson, de Saint Andrews, sans doute le plus grand joueur de son temps, ne put y participer. En 1860, la Ceinture fut remportée par Tom Morris senior, Willie Park se classant second.

Le célèbre open actuel, qui succéda à la Ceinture, fut créé entre les clubs de golf de Saint Andrews, Musselburgh et Prestwick. Le lieu de cette rencontre changea également. Après douze années successives à Prestwick, l'open déménagea à Saint Andrews en 1873, et à Musselburg en 1874.

Le championnat permit aux joueurs amateurs de rencontrer des professionnels. Avant la fin du siècle, deux d'entre eux firent forte impression dans cet open. John Ball, de Hoylake, huit fois vainqueur du championnat amateur entre 1888 et 1912, gagna en 1890 et Harold Hilton remporta le tournoi en 1892 et cinq ans plus tard.

Hilton fut quatre fois vainqueur du championnat amateur entre 1900 et 1913 et du championnat amateur aux États Unis en 1911.

Vers 1893, les femmes firent leur entrée dans le golf de compétition. Le premier championnat féminin amateur se disputa au Lytham Saint Anne's Golf Links, où Lady Margaret Scott fut déclarée vainqueur. Les deux années suivantes, en 1894 et 1895, elle défendit son titre avec succès.

CI-CONTRE : *Willie Park, premier champion de l'open, 1868.*

DOUBLE PAGE SUIVANTE : *Joueurs de golf avant un tournoi, 1867.*

Les challenges

L'HOMME issu des classes moyennes, généralement membre des professions libérales, engageait sa réputation dans les nombreux challenges de l'époque qu'il disputait. Il en allait tout autrement des parieurs, qui mettaient en jeu de fortes sommes d'argent pour soutenir un golfeur, au cours de rencontres professionnelles.

Vers le milieu du XIXe siècle, l'enjeu de nombre de grands matchs, en simple ou en partie double, fut considérable.

Les noms de Robertson, Morris, Dunn, Park, Anderson et Strath ont déjà été mentionnés, mais jusqu'en 1899, Ferguson, Rolland, Kirkaldy, Taylor et Vardon firent partie des joueurs professionnels sur lesquels les parieurs n'hésitaient pas à miser gros.

À long terme, cependant, l'argent circulait peu. Le milieu du golf était assez fermé, bien

CI-DESSUS : *Ménagère de petites cuillères en argent contenant un certificat, offerte par une importante société de cigarettes en 1933-1934, pour le «Beating Bogey» à Saint Andrews. Les participants étaient censés fumer la pipe ou des cigarettes, et pouvaient gagner entre une à six cuillères s'ils battaient le score du «bogey».*

connu des parieurs réguliers et la plupart du temps le résultat du challenge n'offrait aucune surprise.

Parmi les challenges de renom figure celui d'Allan Robertson, de Saint Andrews, contre Willie Dunn, de Musselburgh, en 1843 : lors d'une partie de vingt tours – 360 trous –, Robertson battit Dunn par deux tours et un tour à jouer. Signalons également les matchs entre Tom Morris senior et Willie Park.

En 1849, au cours d'une célèbre compétition, Allan Robertson et Tom Morris gagnèrent contre les frères jumeaux Willie et James Dunn à Musselburgh, Saint Andrews et North Berwick. Lors de la finale à North Berwick, les Dunn menaient par 4 points et 8 trous à jouer et bénéficiaient alors d'une cote de 20 contre 1. Pourtant, Robertson et Morris l'emportèrent d'un trou. Il est facile d'imaginer les difficultés

La cabane du starter, Old Course, Saint Andrews, vers 1905.

auxquelles furent confrontées les autorités locales pour contenir les spectateurs.

En 1854 et 1855, Willie Park et Tom Morris jouèrent six parties à cent livres sterling, et les gains furent partagés à peu près équitablement. Au cours du cinquième match à Musselburgh, les spectateurs intervinrent si souvent sur la balle de Morris que l'arbitre dut arrêter le jeu et diviser les mises.

En 1905, un challenge international en foursome opposa John H. Taylor et Harry Vardon

Les Silver clubs, trophées du Royal & Ancient Club.

à James Braid et Alex Herd. Les représentants écossais, Braid et Herd, furent largement battus à l'occasion des matchs disputés à Saint Andrews, Troon, Saint Anne et Deal. L'enjeu s'élevait à un montant de quatre cents livres sterling pour chaque partie (deux cents pour chaque équipe).

En 1899, lors du match qui opposa à North Berwick, Harry Vardon (le vainqueur) à Willie Park junior, plus de dix mille spectateurs étaient présents, un nombre qui n'avait jamais été égalé avant 1900, confirmant ainsi l'engouement du public pour le golf.

Vers 1900, on dénombrait plus de deux mille clubs et sociétés (à ne pas confondre avec les parcours) dans l'ensemble du Royaume-Uni, et de nombreux professionnels indépendants enseignaient le jeu en haute saison. Sur les links publics, ils permettaient au golfeur amateur, souvent débutant, de se familiariser avec ce sport, tout en bénéficiant de leçons à des prix très avantageux.

Après avoir consacré un chapitre à l'histoire et à la fabrication des premiers bois long-nez et des modèles qui s'ensuivirent, il convient maintenant de retracer les origines de la balle de golf.

Assortiment de petites cuillères en argent, offertes aux vainqueurs de la médaille du Mois. La cuillère à café, ornée des initiales DSHGC, à droite, fait référence au Dulwich & Sydenham Hill Golf Club.

72 Le Golf

1 Médaille d'or du Bournemouth Golf Club.

2 Médaille du Mois plaqué argent.

3 Médaille de golf dorée.

4 Médaille de bronze de la Bar Golfing Society (poinçonnée au revers).

5 Médaille d'argent portant au revers l'inscription «Chevin Golf Club».

6 Broche en argent.

7 Broche en argent représentant un golfeur en plein swing.

8 Épingle de cravate en laiton.

9 Boîte d'allumettes ornée d'une scène de golf datant sans doute d'avant 1900.

10 Premier prix du tournoi open à North Berwick en 1912.

Ci-dessus : *Pièce commémorative datée de 1985. Assiette personnellement signée par Sandy Lyle après sa victoire à l'open de Sandwich, dans le Kent.*

L'histoire de la balle de golf

CI-DESSUS : *Un petit moule permettant de mettre en forme la balle en gutta-percha. Plus tard, certains s'ornèrent de motifs à l'intérieur pour strier la balle.*

PAGE DE DROITE : *Moules et plumes qui servaient à fabriquer les balles au XIXᵉ siècle.*

Les premiers équipements des jeux de bâton et de balle étaient à l'origine en bois et, à partir du début des années 1600, la balle importée des Pays-Bas, qui connut ensuite de nombreuses améliorations, ressemblait à une petite bourse de cuir ronde, remplie de diverses matières. C'est à cette balle que le golf devait être associé, du XVIIᵉ jusqu'au milieu du XIXᵉ siècle.

La fabrication de la balle en cuir exigeait des pièces, spécialement taillées, en peau de taureau tannée ou de tout autre cuir très résistant. Elles étaient coupées en trois ou quatre bandes ou lobes, cousus ensemble puis retournés, une petite fente étant prévue pour remplir la balle. À l'époque, certaines offraient des finitions grossières, car elles contenaient souvent du poil, de la laine ou du gros fil.

Vers 1630, la bourse de cuir était presque exclusivement rembourrée avec des plumes de canard ou d'oie. Ces dernières étaient bouillies afin de les ramollir et les rétrécir, avant de les insérer dans la peau de cuir trempée au préalable dans de l'eau additionnée d'alun. Les plumes étaient ensuite fourrées dans l'enveloppe étroitement cousue avec un fil à peine visible. En séchant, elle se rétractait alors que les plumes prenaient du volume. La régularité de la balle dépendait de l'habileté du tanneur et de la façon dont on insérait les plumes dans la peau.

La fabrication d'une balle en plume réquérait beaucoup de temps et de patience, et l'artisan ne pouvait en produire que quatre à cinq par jour, l'équivalent d'un revenu d'environ quatre shillings la pièce.

Les joueurs préféraient bien sûr utiliser des balles neuves et dures, et il est attesté que certaines ont parcouru jusqu'à 320 mètres. Cependant, elles résistaient mal à l'humidité ;

les plumes qui absorbaient l'eau alourdissaient la balle, réduisant ainsi ses performances. Pour les joueurs les moins compétents, un seul coup tapé avec la lame d'un fer suffisait à en faire éclater les coutures.

La balle en plume fut par la suite concurrencée par celle en gutta-percha, – une substance laiteuse dérivée du latex de caoutchoucs indiens et malais – qui finit par la supplanter définitivement.

En 1845, le révérend docteur Paterson eut l'idée de fabriquer une balle en gutta-percha, trouvée dans le carton d'emballage d'un colis provenant d'Orient.

Dès le début des années 1840, les substances en caoutchouc, importées sous forme de rubans, avaient été testées en Grande-Bretagne et aux États-Unis pour un usage industriel. Cette nouvelle expérience incita le docteur Paterson à déposer un brevet pour la

Balle remplie de tissu, plus dure que celle en plume (origine et date inconnues). Cousue à l'intérieur, elle a sans doute été endommagée par un club.

Balle en plume (fabrication inconnue).

Balle en gutta-percha, fabriquée par Willie Park junior en 1896, mais qui ne fut jamais utilisée. Elle représente sans doute la balle la plus insolite de tous les temps. Estampillée «Royal», son enveloppe est constituée de cinquante-six facettes. Park croyait que la balle roulerait sur le green aussi délicatement qu'une sphère.

Balle au mur, souvent confondue avec une balle de golf en plume. Ici, la couture se trouve à l'extérieur de l'enveloppe.

Balle à noyau de caoutchouc remodelée, datant de 1912.

fabrication d'une balle de golf. Une fois le brevet déposé, d'autres personnes revendiquèrent l'invention et, aujourd'hui encore, l'identification du fabricant de la première balle en gutta-percha soulève de nombreuses polémiques. Quelle qu'en soit l'origine, cette balle s'implanta peu à peu sur le marché et vers 1848, on l'utilisait sur un certain nombre de parcours.

Les premiers essais déroutèrent quelque peu les utilisateurs car la balle semblait assez incontrôlable, et nul ne s'était encore rendu compte qu'il fallait qu'elle se fasse avant d'obtenir les résultats souhaités.

Le problème fut résolu quand on comprit que la balle était trop molle. On découvrit qu'en martelant sa surface, elle serait alors beaucoup plus facile à contrôler. Les premiers spécimens en gutta-percha, ainsi traités, se firent connaître sous le nom de «martelés à la main». Cette invention améliora les performances de la balle, notamment lorsqu'on voulait lui donner un effet.

La balle en gutta-percha fut cependant momentanément concurrencée. Cette matière fut alors mélangée à d'autres composants, pour produire des balles soit plus dures, soit plus molles, mais leur incidence sur le marché resta marginale. Au fil des ans, la balle en gutta-percha ne cessa de s'améliorer, et l'apparition de moules gravés à l'intérieur élimina définitivement le martelage à la main.

De nombreux fabricants investirent alors le marché, proposant différents modèles de balle ornés de motifs variés. Les balles flottantes furent à leur tour commercialisées. Parfaitement conçues pour les eaux calmes, elles ne pouvaient en revanche être utilisées sur les rivières. De nouvelles améliorations permirent par la suite aux joueurs de pouvoir essayer et tester leur balle pendant six mois. Ce laps de temps était censé enrayer le phénomène de fragmentation, un problème dont souffrait la balle depuis son origine. Une règle fut d'ailleurs édictée en ce sens : « Si la balle se désagrège en plusieurs parties, une autre balle peut être déposée là où repose la plus grosse partie.»

Les balles en gutta-percha usagées étaient souvent restaurées par de jeunes artisans golfeurs, qui ne pouvaient pas toujours se permettre de les remplacer. Pour les remodeler, on portait à ébullition les anciens morceaux jusqu'à ce que le mélange soit fluide. Avec des gants en cuir, il était possible de rouler à la main les blocs de gutta-percha ou de les placer entre deux planches.

Pour les empêcher de coller, on ajoutait au mélange de l'huile de lin. L'opération se poursuivait jusqu'à obtention d'une sphère plus volumineuse que le modèle définitif, car en séchant, les balles se rétrécissaient. Quelques semaines plus tard, elles pouvaient être peintes.

Le caoutchouc

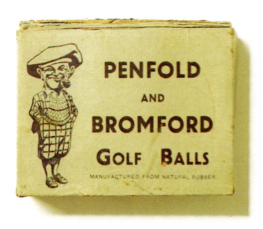

CI-DESSUS ET EN HAUT : *Affiche publicitaire et emballage d'époque.*

JUSQU'AU tournant du siècle, la balle dure en gutta-percha domina le marché, mais fut ensuite remplacée par un modèle à noyau en caoutchouc, créé aux États-Unis.

Coburn Haskell, en association avec la Goodrich Tyre & Rubber Company, fut à l'origine de cette nouvelle balle, composée de plusieurs mètres d'élastique entourant un noyau central en caoutchouc dur, de la taille d'une bille, puis recouverte enfin d'une couche de gutta-percha.

Les premiers temps, elle suscita cependant une certaine méfiance, car, en dépit de sa fermeté, elle n'était pas aussi dure que celle en gutta-percha. Pourtant, la plupart des joueurs appréciaient sa souplesse qui permettait de l'envoyer très loin.

En 1902, Alex (Sandy) Herd remporta l'open avec une balle conçue par Haskell, et, dès lors, les plus grandes entreprises se disputèrent le marché pour produire des millions de modèles identiques. La plupart des firmes britanniques et américaines de pneus et de caoutchouc orientèrent alors leurs activités dans la fabrication de balles de golf, tout comme de nombreux fabricants de télégraphes et de câbles.

La balle à noyau en caoutchouc révolutionna l'industrie du golf. Vers 1910, plus de cent cinquante marques envahirent le marché, bien que les balles en gutta-percha soient toujours commercialisées par la Silvertown Company, pour les adeptes de ce modèle.

D'autres matériaux que le caoutchouc furent testés pour former le cœur de la balle, noyaux solides et liquides, à roulements à billes ou en mercure. Elle fut également recouverte de matières différentes, telles que la ronce sauvage, ou ornée de motifs variés en forme de maille, de treillage, d'alvéoles et de stries triangulaires.

Malgré tous ses avantages, cette nouvelle balle entraîna divers réaménagements sur les links et les parcours. Les trous durent être rallongés, ou les départs reculés, et de nombreux obstacles, principalement les bunkers, furent avancés sur les fairways.

La matière de l'enveloppe changea également, la gutta-percha étant désormais remplacée par le balata, une gomme rigide extraite d'un arbre tropical et utilisée dans l'industrie pour la fabrication des courroies, des joints et des tuyaux.

En 1912, la Dunlop 31, la première de ces balles lourdes et fermes, arriva sur le marché, et ses nouvelles qualités permirent aux golfeurs de l'envoyer à une distance bien plus grande qu'auparavant.

Assortiment de balles : deux d'entre elles sont en gutta-percha, sans aucune marque, et les autres, signées W. Dunn, sont en ronce sauvage, à noyau de caoutchouc et martelées à la main.

Les fabricants de fers

Deux estampes de têtes de clubs : l'une porte le nom du fabricant et l'autre représente un logo en forme de pyramide.

Au fil des ans, les fers jouèrent un rôle de plus en plus important dans la pratique du golf, permettant de réaliser des coups plus précis et de contrôler la distance et la trajectoire de la balle. L'évolution de leur utilisation met en valeur trois générations de fabricants.

Dans les années 1700, seuls quelques fers assez lourds remplacèrent les bois long-nez, utilisés pour sortir les balles en plume des profonds bunkers.

Les fers ouverts à bout carré et face concave, ainsi que les track iron, figurent parmi les premiers clubs à tête métallique utilisés sur les links de sable et les rivages de galets. Cependant, le joueur devait manier cet équipement avec beaucoup de précaution, car un coup manqué risquait d'endommager gravement la balle en plume.

Dès le début, les fabricants de fers furent appelés fabricants de «cleeks». Ces artisans, équipés de tenailles, de marteaux lourds et légers, d'une forge et d'une enclume, assemblaient deux morceaux de fer plats et malléables, en façonnant, fondant et limant une emboîture frontale taillée en pointe, prête à recevoir un manche en bois.

Le club était ensuite équipé d'un manche muni d'un grip en cuir rembourré assez épais, et qui équilibrait également le club.

Avec l'arrivée de la balle en gutta-percha en 1848, la demande pour les clubs à tête métallique s'accrut considérablement. Des fers à long manche, pour driver, jusqu'aux clubs plus courts et plus ouverts, les golfeurs avaient la possibilité de réaliser des coups plus précis et d'en inventer d'autres à l'occasion.

La série de bois utilisée autrefois était constituée d'un playclub (le driver), de trois spoons, d'un niblick et d'un putter, complétée ensuite par un fer particulier, appelé «track iron», dont

Série de clubs en métal portant les marques des fabricants. Les têtes sont en fer, acier, laiton et bronze.

la tête n'excédait guère la taille d'une balle, et qui permettait de sortir la balle des ornières. Chaque fer avait un rôle très différent de celui des bois.

Une seconde génération de clubs à tête en métal, essentiellement les cleeks et les fers, remplacèrent bientôt certains bois. On trouvait notamment le driving cleek, le cleek long et court, le cleek ouvert, le mashie cleek et le putting cleek. Le club dont les joueurs se servaient pour driver était façonné avec une lame à face verticale, lisse et étroite, et muni d'un manche solide et souple. Les autres modèles, à longueur de manche décroissante et ouverture de face croissante, présentaient un lie plus droit sur des clubs plus courts. Le putting cleek, quant à lui, avait de multiples fonctions et pouvait être utilisé sur ou en dehors du green, selon la hauteur de l'herbe ou l'état de la surface.

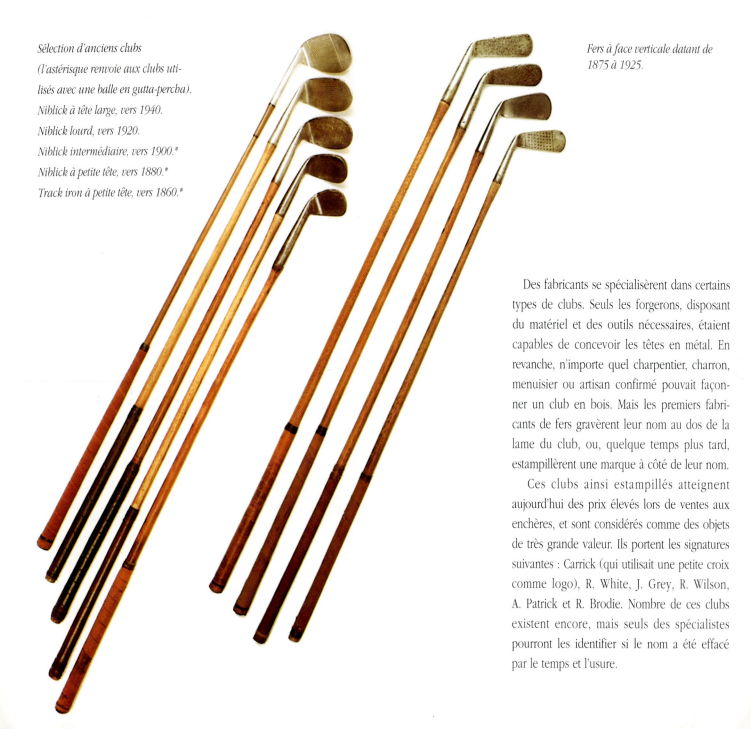

Sélection d'anciens clubs
(l'astérisque renvoie aux clubs utilisés avec une balle en gutta-percha).
Niblick à tête large, vers 1940.
Niblick lourd, vers 1920.
Niblick intermédiaire, vers 1900.*
Niblick à petite tête, vers 1880.*
Track iron à petite tête, vers 1860.*

Fers à face verticale datant de 1875 à 1925.

Des fabricants se spécialisèrent dans certains types de clubs. Seuls les forgerons, disposant du matériel et des outils nécessaires, étaient capables de concevoir les têtes en métal. En revanche, n'importe quel charpentier, charron, menuisier ou artisan confirmé pouvait façonner un club en bois. Mais les premiers fabricants de fers gravèrent leur nom au dos de la lame du club, ou, quelque temps plus tard, estampillèrent une marque à côté de leur nom.

Ces clubs ainsi estampillés atteignent aujourd'hui des prix élevés lors de ventes aux enchères, et sont considérés comme des objets de très grande valeur. Ils portent les signatures suivantes : Carrick (qui utilisait une petite croix comme logo), R. White, J. Grey, R. Wilson, A. Patrick et R. Brodie. Nombre de ces clubs existent encore, mais seuls des spécialistes pourront les identifier si le nom a été effacé par le temps et l'usure.

Les fers succédèrent aux cleeks, et composèrent une série comprenant un driving iron, un mid-iron, un push iron, un lofting iron, un mashie iron, un pitching iron, un mashie niblick, un niblick et un rut niblick, ces trois derniers étant munis de têtes ovales ou presque rondes.

Cette diversité de types de clubs résulte des tentatives répétées de fabricants désireux de créer et de commercialiser une ligne élégante et profilée. À l'époque, les têtes étaient embouties et moulées, ou forgées à la presse, mais par la suite, on les forgea à la machine.

Les clubs apparurent selon un ordre bien précis : les cleeks tout d'abord, puis les fers et enfin les mashies, chacun se faisant concurrence pour devenir l'équipement indispensable du golfeur. L'angle d'ouverture des clubs était le même pour chaque catégorie, seules la longueur et l'épaisseur de la lame pouvant varier.

La famille des mashies (l'angle approximatif indiqué entre parenthèses concerne les clubs datant de 1925 et plus) se composait d'un driving mashie (1), d'un mashie iron (2/3), d'un mashie cleek (3), d'un standard (5), de mashies à longues faces (4/5), de mashies larges (5/6), d'un mashie niblick (7) et d'un mashie d'eau (7).

Cette série se complétait de deux mashies inhabituels, le «stymie» et le «midget», ainsi que d'un niblick et d'un putter. Anderson (Anstruther), Bussey, Carruthers, Condie, Forgan, Gibson, Gourlay, Halley, Hewitt, Spalding, Stewart et Winton figurent parmi les noms et logos de fabricants de fers les plus célèbres, que tout collectionneur se doit de connaître. Il est d'ailleurs encore possible aujourd'hui de trouver ces spécimens.

Le golf commença vraiment de se développer dans les années 1880. Le nombre de joueurs, de parcours et de clubs ne cessait d'augmenter, parallèlement aux inventions techniques. En effet, les fabricants conçurent un matériel de plus en plus perfectionné qui fut très vite commercialisé. En 1892, F. Fairlie inventa un club dont la lame était placée devant l'emboîture et le manche. Environ trois ans plus tard, F. G. Smith imagina un modèle à emboîture en «Z». Ces deux inventions ingénieuses permirent ainsi d'éviter les coups en soquette. Ces clubs ayant cependant un rôle assez limité, ils disparurent peu à peu du marché.

Vers le milieu des années 1890, la famille Urquhart, d'Edimbourg, déposa la licence d'une tête en métal ajustable. Ce club possédait une lame pivotante, qui se bloquait grâce à un cliquet fixé dans l'emboîture, une fois que l'angle désiré avait été sélectionné. Idéal pour s'entraîner ou pour les partisans du moindre effort, il était cependant peu adapté à la dureté

Deux niblicks mashie (n° 7). Le club à tête ovale a été déposé par F. Fairlie vers 1892 et celui à tête rectangulaire par F.G. Smith vers 1895. Ces deux clubs sont conçus pour éliminer les soquettes.

de la balle en gutta-percha. Peut-être disparut-il trop tôt, car la balle à noyau de caoutchouc élastique apparut sur le marché dès 1901 et aurait pu relancer sa fabrication.

Divers clubs tout à fait inhabituels furent inventés : le niblick «skoogie», avec sa face creuse, connut un bref moment de gloire, la balle pouvant être frappée deux fois en un seul coup. D'autres modèles de niblicks assez imposants furent à l'évidence conçus pour sortir la balle d'obstacles difficiles. Ces clubs ressemblaient à des détecteurs de métaux tels qu'on en voit sur les plages, mais, avec leur face très ouverte et leur lame plate, ils n'étaient utilisés qu'en dehors des fairways. Les clubs à semelle en «V» étaient quant à eux plus impressionnants qu'efficaces.

Bien d'autres modèles fantaisistes envahirent le marché. Certains bois furent dotés de faces en métal, tandis que les têtes en fer furent équipées de faces en bois ou en caoutchouc. Quelques clubs évoquaient des maillets de polo, et d'autres possédaient une lame percée. Malgré l'intérêt que chacun éveilla, ils n'influencèrent pas la pratique du golf et tombèrent rapidement en désuétude.

D'autres métaux furent également utilisés avec beaucoup de succès. Depuis 1893 environ, Williams Mills, installé à Sunderland, en Angleterre, fabriquait une ligne de clubs à tête en aluminium. Elle comprenait les putters, utilisés par les plus grands joueurs de golf, ainsi que la série complète de clubs. Des putters en laiton et en bronze envahirent le marché, les fabricants rivalisant d'imagination pour conserver leur place dans un marché de plus en plus convoité.

Quatre modèles de putters à tête en aluminium, datant de 1895 à 1935. Le putter le plus ancien a la tête la plus longue.

Caddies, porte-clubs et sacs

L'ÉQUIPEMENT de golf devenant de plus en plus encombrant, il fallut trouver des moyens pour le transporter plus facilement.

Certains joueurs fortunés pouvaient s'offrir les services d'un caddie, mais, quoi qu'il en soit, avant 1870, les clubs se portaient serrés sous le bras, généralement la tête en bas pour les reconnaître plus rapidement.

Vers 1880, le premier sac fit son apparition sur le marché. C'était un simple morceau de bois muni de sangles en cuir pour maintenir les clubs ; une petite poignée était clouée dans le bois pour équilibrer la charge.

À peu près à la même époque, les fabricants de paniers conçurent un sac tubulaire très fonctionnel et jusqu'alors inédit, tressé avec de minces baguettes de saule. Il ressemblait à un carquois et pouvait contenir jusqu'à dix bois et fers. Une bandoulière permettait de le porter de la même manière qu'aujourd'hui.

Un autre type de sac très différent, le porte-clubs à trépied en bois, que l'on tenait d'une seule main, fut bientôt largement utilisé. Il était constitué de deux pieds rabattables qui se dépliaient à l'avant du support principal lorsque la base était posée à terre. Deux fabricants se firent concurrence en commercialisant des sacs de conception similaire. Seul le support principal permettait de les distinguer, l'un étant en bois plein, l'autre en lamelles de bois.

Chaque sac était équipé d'une poignée, l'une en bois assortie d'une tige métallique, l'autre en cuir. Les deux sacs avaient une pochette ajustable pour protéger les grips des clubs. Une petite poche à balles, suffisamment large pour en contenir une demi-douzaine, se fixait en haut. Cependant, une fois chargés de sept clubs (deux bois et cinq fers), ces sacs pesaient très lourds.

Le Golf 87

Un sac Bussey.

Sac léger pouvant contenir jusqu'à sept clubs ; au-delà, la charge est trop lourde à porter.

Vers la fin des années 1880, un sac en tissu d'environ treize centimètres de diamètre, équipé de lanières en cuir et d'une poche à balles, fut enfin conçu. Bien que muni d'une bandoulière, il se portait le plus souvent sous le bras. Ces sacs étaient essentiellement faits de simple toile, mais les artisans utilisèrent très vite de la toile de jute ou de la toile à voile, plus résistantes. Parfois assez grossièrement réalisés, ils étaient cependant solides et furent largement utilisés.

Au tournant du siècle, des fabricants produisirent des sacs ronds et ovales, avec parfois un capuchon qui pouvait être replié à l'intérieur du sac quand on ne s'en servait pas. Malheureusement, une fois le capuchon rangé, les boucles avaient tendance à faire des marques sur les manches en bois et les grips.

Dix ans plus tard, des sacs plus grands et plus esthétiques, renforcés de fonds en cuir et

À GAUCHE : *Un sac inhabituel de neuf centimètres de diamètre pouvant contenir quatorze clubs. Le driver, le brassie spoon et le baffy se rangent dans les poches centrales. De chaque côté, cinq poches tubulaires accueillent la série de fers et le putter. Il comporte également une poche à balles plus étroite.*

À DROITE : *Sac des années trente équipé d'une poche à balles et d'un capuchon. Fait de toile solide et de cuir, et renforcé de supports en acier, il peut contenir jusqu'à quatorze clubs.*

munis d'autres accessoires, dont une poche à balles pour les tees, les gants, l'éponge ou les bandages, étaient disponibles dans les magasins d'articles de sport.

Au cours du XXᵉ siècle, le golf ne cessa de se développer. De nouveaux clubs s'étaient formés, et les vastes installations désormais offertes aux joueurs attiraient de plus en plus d'adhérents. Pour équiper tous ces parcours et répondre à la demande, de petites entreprises augmentèrent leur productivité, et bien d'autres élargirent leurs activités à la fabrication ou à la vente de clubs, balles, sacs et chaussures. Vers 1910, enfin, le jeu était reconnu et pratiqué dans le monde entier.

Quatre années de conflit

Cet essor fut brutalement interrompu par la Première Guerre mondiale. Un certain nombre de parcours récemment construits redevinrent des terres cultivables, tandis que la majorité des joueurs partaient au front. Cependant, ce sport joua un rôle en agrémentant la convalescence de nombreux blessés.

Certains golfeurs professionnels, trop jeunes ou trop âgés pour être mobilisés, disputèrent de nombreux matchs d'exhibition dont les bénéfices étaient destinés aux hôpitaux militaires. James Braid et Harry Vardon attiraient le plus de monde.

Une fois la guerre terminée, au moins deux ans s'écoulèrent avant que le golf ne soit à nouveau régulièrement pratiqué. Il fallut tracer ou reconstruire des parcours, acheter du matériel, et la pénurie de bois d'œuvre, d'acier et de caoutchouc donna une valeur inestimable à la moindre série de clubs.

En 1920, le British open revint à l'affiche et, à la satisfaction du public, George Duncan, un Écossais de la région d'Aberdeen et professionnel au Hanger Hill Golf Club près de Londres, remporta le trophée. L'intérêt pour le golf ne s'était donc pas amoindri et sa promotion était bien assurée, tant par les professionnels que par les amateurs. Depuis, l'engouement pour le golf n'a cessé de se confirmer au fil des ans, pour devenir aujourd'hui l'un des sports les plus en vogue.

Portrait de R. Maxwell, Vanity Fair, Spy, 1903.

INDEX

A
Aberdeen, links 17, 26
Adélaïde Golf Club 44
Afrique du Nord 39
Afrique du Sud 39-40
Allemagne 38
Anderson 68, 83
Antwerp, club de golf 38
Apawamis, parcours 42
Archerfield, links 17
Argentine 43
Australie 44
Australian Golf Club 44

B
backspin 53
Baden-Baden, club de golf 38
Bailey 58
Ball, John 64
balle
- en bois 16, 17
- en caoutchouc 78, 79
- en cuir 16, 74
- en gutta-percha 74, 75, 79
- en plume 62, 74, 75, 76
- fabrication 74, 77, 78
- flottante 77
- fragmentation 77
- histoire 16, 74-79
- martelée à la main 77, 79

Ballantyne 58
Bangalore, club de golf 35
Belfast Golf Club 32
Belgique 38
Belize 43
Berlin Golf Club 38
Bermudes 43
Beveridge 59
Biarritz Golf Club 38
Blackheath Golf Club 20, 26, 32
Bogie, Pat 16
bois 52-63
- baffy 61
- brassie 6
- collections 54, 59
- driver 61
- driving putter 52, 53
- fabrication 54, 55, 58, 59, 60, 62
- grassed driver 52
- «long-nez» 54
- niblick 52
- playclub 52
- putter 52, 53, 61
- spoon 52, 61

Borth & Ymyslas Golf Club 32
Braid, James 71, 90
brevets 60
Brodie, R. 82
bronze 84
Bruntsfield, links 17, 22, 26, 62
bunker 20, 34, 79
Burgess Golf Society 26

C
caddie 50, 86
Calcutta Golf Club 34, 35
Canada 40
caoutchouc 78, 79
Carnalea 33
Caroline du Sud 41
Carrick 82
Carruthers 83
Ceinture du championnat 64
Ceylan 35
challenges 68-71
championnat amateur 64
- d'Australie 44
- des État-Unis 64
- de Nouvelle-Zélande 44
championnat féminin 33
- amateur 64, 65
- d'Irlande 34
- de Nouvelle-Zélande 44
championnat de golf d'Inde et d'Orient 35
Chine 44
Chili 43

Christchurch Golf Club 44
cleek 81, 83
- court 81
- driving cleek 81
- fabricants 80, 82
- long 81
- mashie cleek 81, 83
- ouvert 81
- putting cleek 81
clubs
- bois 52-63 (voir aussi à bois)
- collections 52, 54-59
- fabrication 55, 58, 59, 60, 80-85
- fers 80-85 (voir aussi à fers)
- inventions 60-63, 83, 84
Club d'argent de la Ville d'Edimbourg 20, 21-23
club de golf 8, 21-28, 34-47
- en Afrique du Nord 39
- en Afrique du Sud 39
- en Allemagne 38
- en Amérique 8, 41-43
- en Angleterre 8, 26, 32
- en Asie 44, 46
- en Australie 44
- en Belgique 38
- au Canada 8, 40
- au Danemark 38
- en Écosse 17, 21, 22, 26
- en France 38
- en Hollande 38
- en Inde 8, 34, 35
- en Irlande 32

- en Italie 38
- au Pays de Galles 32
- en Suède 38
Collins 59
Colombo Club 35
Condie 83
Cook, Walter 63
Copenhague 38
Comité A-NON 31
Conseil d'Edimbourg 16, 21
Cossar, Simon 58, 62
Country Club, Buffalo 42
coup punché 53
coup en soquette 83, 84
Crail, links 26
Cricket Club 41
cuir (voir à balle)
Curragh Golf Club 33

D
Danemark 38
Davidson 58
Donaldson 58
Doornsche Golf Club 38
Dornoch, links 26
doubles greens 23
Dow 59
drivers 52, 61
Dum Dum 34
Duncan, George 90
Dunedin, club de golf 44
Dunn, Willie 42, 58, 60, 68

E
Écosse 7, 8, 12, 13, 16, 40, 43, 49, 50
Eden, parcours 26
Engadine Golf Club 38
estuaires du Forth et du Tay 16, 17, 20
États-Unis 41, 42

F
fabricants 12, 16, 17, 48, 49, 54, 55, 58, 59, 60, 62, 77, 78, 79, 80-85
fairways 13, 34, 79
Falsterbo, links de 38
fers 80-85
- driving iron 83
- fabricants 80-85
- lofting iron 83
- mashie iron 83
- mashie niblick 83
- mid-iron 83
- niblick 83
- pitching iron 83
- push iron 83
- rut niblick 83
- track iron 80
Ferguson 68
ficelle poissée 54
Forgan 59, 60, 83
Forrester 59
foursome 70
France 7, 38, 39

G
Gibson 83
golf, origine du 7, 8, 12, 13, 16

golf féminin 17, 33
Gothenburg 38
Gourlay 62, 83
Grahamstown Golf Club 40
greenkeeper 63
Grey, J. 82
grips 54
Groupe du pommier 42
Gullane, links 17
gutta-percha 75-77
Gymkhana Club Poona 35

H
Haagsche Golf Club 38
Halley 83
Hambourg Golf Course 38
Hanger Hill Golf Club 90
Harrismith Golf Club 40
Haskell, Coburn 78
Haye, La 38
Henrie, John 16
Herd, Alex (Sandy) 71, 78
Hewitt 83
Hilton, Harold 64
Hollande 38
Hong-Kong 44
«Honorable Compagnie des golfeurs d'Edimbourg» 20, 22, 23, 50
Hood 59
Hunter 59
Hutchinson 59
Hutt, club de golf 44

I
Inde 8, 34-35
Irlande du Nord 32
Italie 38

J
Jackson 58
Jamaica Golf Club 43
Japon 46
Jubilée, parcours 26

K
Khedival Sporting Club 39
Kirk 58
Kirkaldy 68
Kobé, parcours 46
kolven 7, 16, 38

L
laiton 81, 84
Launceston Golf Club 44
Leith 17, 21, 22, 30
Leven, links 26
Lindisfarne Golf Club 44
links 16-35, 38, 46, 49
London Scottish Society 32
Lytham Saint Anne's Golf Links 65

M
Madras, club de golf 35
Maidan 34
Malte 39
Manderson 58
Mar del Plata 43
mashies 81, 83
Massy, Arnaud 38
Mayne, William 62
McDonald 59
McEwan, James 58, 62
Mills, Williams 84
Montevideo, club de golf 43
Montréal, club de golf 40
Morris, Tom 38, 39, 58, 63, 64, 68, 72
Mullig 33
Munro 58
Musselburgh, links 17, 22, 23, 59, 62, 64

N
North Berwick 10, 17, 23, 69, 72
Nouvelle-Zélande 44

O
Oakland Club 44
Oke, J. H 40
Old Manchester Golf Club 32
open 40, 44, 59, 64-73, 78, 90
Otago, club de golf 44
Ottawa Golf Club 40

P
paganica 7
Park, Willie 59, 60, 64, 68, 71
Paterson 75
Patrick, A. 82
Patrick, J. 58
Pau Golf Club 38, 41
Pays-Bas 7, 8, 17, 74
Pays de Galles 32
pelle melle 7
Philadelphie 41
Philp, H. 58

Pietermaritzburg Golf Club 39
Pomonok, club de golf 42
Pontnewydd Golf Club 32
Première Guerre mondiale, 90
Prestwick, club de golf 59, 63, 64

R

règles de golf 22, 26, 30, 31
Reid, John 41
Robertson, Allan 16, 62, 63, 64, 68
Rolland 68
Rome Golf Club 38
Rosendale Golf Club 38
Royal & Ancient Golf Club 23, 26, 31, 41, 42, 52, 63 (voir aussi à Saint Andrews)
Royal Blackheath, club de golf 35
Royal Bomba Golf and Sporting Club 35
Royal Calcutta Golf Club 35
Royal Malta Golf Club 39
Royal Melbourne Golf Club 44
Royal North Devon Golf Club 32
Royal Quebec 40
Royal Troon Golf Club 62
Russie 44

S

sac de golf 52, 86-89
Samaden Golf Club 38
Sayers 59
Scott 59
Scott, Hon M 44
Scott, Lady Margaret 33, 65
Seaton Club 44
Sharpe 58

Simpson 59
Smith, F. G. 83
sociétés et clubs 21
soquette 83, 84
Spalding 83
Saint Andrews 17, 20, 22, 23, 26, 30, 41, 42, 56, 63, 64, 69, 71
Saint Anne 71
Saint Moritz, club de golf 38
Saint Petersbourg Mourino Golf Club 44
Stewart 83
Stockholm 38
Strath 59, 68
stroke-play 63
Stuart, Mary (reine d'Écosse) 17
Suède 38
Suisse 38

T

Tasmanie 44, 46
Taylor, John. H 68, 70
tête de club
• en aluminium 85
• en bois 52
• bombée 55, 59
• à emboîture 55, 58, 59
• à emboîture transversale 55, 58, 59
• à épissure 58
• pour manche à languette 58
• métallique 59, 82
Tientsin Golf Club 44
Touquet, Le 39

U

Urquhart, famille 83
Uruguay 43

V

Valette, La 39
Valparaiso Golf Club 43
Vardon, Harry 68, 70, 71, 90

W

Wei-Hai-Wei Golf club 44
Westward Ho ! 32
White, R. 82
Wilson, J. 58
Wilson, R. 82
Wimbledon, links 20
Wimbledon Golf Club 32
• Ladies Golf Club 32
Winton 83

Remerciements

Crédits photographiques :
Photographies intérieures de Chris Allen, Forum Advertising Limited, à l'exception de Allsport, Still Moving Picture Company, Hobbs Golf Collection, E. T. Archives et The Advertising Archives.

Matériel

Ancien matériel de golf et antiquités prêtés par Alick A. Watt.
Ancien sac de golf (p. 88) prêté par Annie Fletcher.
Ancien sac de golf (p. 89) prêté par David Henwood.
Balles de golf anciennes (p. 79) prêtées par Phil Clark.
Clubs de golf (p. 81) prêtés par David Spink.